LA CONSTRUCTION DU NOMBRE

DICTIONNAIRE DE LOGOPÉDIE

IV

LA CONSTRUCTION DU NOMBRE

Claire Campolini - Anne Timmermans - Andrée Vansteelandt

LOUVAIN-LA-NEUVE
2002

ISBN 2-87723-611-0 (Peeters FRANCE)
ISBN 90-429-1093-3 (Peeters LEUVEN)
D. 2002/0602/16

Remerciements

Cet ouvrage ne verrait pas le jour si le projet initial n'avait pas été applaudi et soutenu par un réseau d'appuis et de compétences.

Merci à:

– **Monsieur Jean-Pol FRERE**

Ancien Secrétaire Général de l'Enseignement Supérieur Catholique,
d'avoir accordé au Département Logopédie de l'Institut Libre Marie Haps des chercheurs sous contrat A.C.S.

– **Monsieur Bernard DEVLAMMINCK**

Directeur-Président de la Haute Ecole Léonard de Vinci,
Directeur de l'Institut Libre Marie Haps,
de suivre le projet pas à pas en lui attribuant, depuis le commencement, les moyens indispensables à sa concrétisation.

– **Madame Jacqueline DELHEUSY**

Professeur à l'Institut Libre Marie Haps,
Logopède à l'école Sainte Bernadette,
pour ses compétences cliniques, enrichies d'année en année par la pratique et la formation continue, qui ont peaufiné ce travail par un éclairage critique, vif et nuancé.

– **Madame Anne GHYSSELINCKX**

Docteur en psychologie et Professeur à l'Institut Libre Marie Haps,
pour sa connaissance de la psychologie du développement et son intérêt pour le langage mathématique qui ont élargi plus d'une fois notre réflexion.

– **Monsieur Benoît TIMMERMANS**

Chercheur qualifié en Philosophie au Fonds National de la Recherche Scientifique,
pour son aide dans la compréhension de certains concepts logico-mathématiques et son approche critique de notre manuscrit qui nous ont souvent permis de nuancer et de préciser notre propos.

– **Monsieur Henri FADEUR et Madame Véronique van HÖVELL**
Logopèdes,
dont la «curiosité mathématique» a contribué à développer la recherche des termes initialement répertoriés dans les mémoires.

– **Monsieur Michel SERON**
Licencié en logopédie et Professeur à l'Institut Libre Marie Haps,
(Lauréat de nombreux championnats d'orthographe)
pour la correction formelle minutieuse qu'il apporte au manuscrit et qui nous est, pour chaque volume, précieuse et irremplaçable.

– **Monsieur François TOLLET**
Licencié en langues et littératures romanes et Assistant-chercheur à l'Institut Libre Marie Haps,
pour le suivi méticuleux de la correction des trois épreuves de ce volume.

– **L'équipe des professeurs de Pratique Professionnelle de l'Institut Libre Marie Haps**

– **Mesdemoiselles Nathalie BRUYNBROECK et Véronique DE GROOTE**
Anciennes étudiantes en logopédie qui ont consacré leur mémoire de fin d'études à l'élaboration du dictionnaire de logopédie.

– **Mademoiselle Virginie JACQUES**
Ancienne étudiante en section Traduction-Interprétation qui a consacré son mémoire de 2e licence à la terminologie logopédique.

Les auteurs remercient également:
– **Le Centre de Terminologie de Bruxelles**

– **Le Centre Multimédia de l'Institut Libre Marie-Haps**
et plus particulièrement **Madame Cathy VAN LIL** et Monsieur **Jo THOORENS** dont la disponibilité et la compétence ont contribué au parachèvement de ce fascicule.

Plan général

Abréviations utilisées

Indicateurs de rubrique

VA.	renvoi (à un terme défini dans le dictionnaire)

Symboles logiques

Ant.	Antonyme
Syn.	Synonyme

Marques grammaticales

adj.	Adjectif
f.	Féminin
m.	Masculin
n.	Nom
s.	Syntagme
t.	Transitif
v.	Verbe
pl.	Pluriel

Y a qu'UN cheveu sur la tête à Matthieu.

Y en a DEUX
Deux testaments
L'ancien et le nouveau
Y a qu'un cheveu sur la tête à Matthieu.

Y en a TROIS
Troyes en Champagne
Deux testaments
L'ancien et le nouveau
Y a qu'un cheveu sur la tête à Matthieu.

Y en a QUATRE
Catherine de Médicis
Troyes en Champagne
Deux testaments
L'ancien et le nouveau
Y a qu'un cheveu sur la tête à Matthieu.

Y en a CINQ
Simplicité
Catherine de Médicis
Troyes en Champagne
Deux testaments
L'ancien et le nouveau
Y a qu'un cheveu sur la tête à Matthieu.

Y en a SIX
Système métrique
Simplicité
Catherine de Médicis
Troyes en Champagne
Deux testaments
L'ancien et le nouveau
Y a qu'un cheveu sur la tête à Matthieu.

Y en a SEPT
C'est épatant
Système métrique
Simplicité
Catherine de Médicis
Troyes en Champagne
Deux testaments
L'ancien et le nouveau
Y a qu'un cheveu sur la tête à Matthieu.

Y en a HUIT
Huître de Zélande
C'est épatant
Système métrique
Simplicité
Catherine de Médicis
Troyes en Champagne
Deux testaments
L'ancien et le nouveau
Y a qu'un cheveu sur la tête à Matthieu.

Y en a NEUF
N'œuf à la coque
Huître de Zélande
C'est épatant
Système métrique
Simplicité
Catherine de Médicis
Troyes en Champagne
Deux testaments
L'ancien et le nouveau
Y a qu'un cheveu sur la tête à Matthieu.

Y en a DIX
Dis ce que tu veux
N'œuf à la coque
Huître de Zélande
C'est épatant
Système métrique
Simplicité
Catherine de Médicis
Troyes en Champagne
Deux testaments
L'ancien et le nouveau
Y a qu'un cheveu sur la tête à Matthieu.

Y en a ONZE
On s'en fout
Dis ce que tu veux
N'œuf à la coque
Huître de Zélande
C'est épatant
Système métrique
Simplicité
Catherine de Médicis
Troyes en Champagne
Deux testaments
L'ancien et le nouveau
Y a qu'un cheveu sur la tête à Matthieu.

Y en a DOUZE
D'où ce que tu viens
On s'en fout
Dis ce que tu veux
N'œuf à la coque
Huître de Zélande
C'est épatant
Système métrique
Simplicité
Catherine de Médicis
Troyes en Champagne
Deux testaments
L'ancien et le nouveau
Y a qu'un cheveu sur la tête à Matthieu.

(Comptine enfantine)

Préface

Notre parcours terminologique croise ici «le chemin du nombre» et emprunte un lexique que les logopèdes/orthophonistes ont tôt fait de reconnaître comme partie intégrante de leur vie professionnelle.

$$3 + 1 = 4$$

Ce quatrième fascicule du «Dictionnaire de logopédie» pénètre dans un domaine où la linguistique côtoie le cognitif et l'épouse, donnant ainsi naissance à un langage du raisonnement dont il faut comprendre les tenants et les aboutissants, si l'on veut espérer pouvoir aider l'enfant dans sa découverte des mathématiques.

En pénétrant dans la littérature consacrée à ce domaine, nous avons pu nous convaincre que la légendaire «bosse des maths», investie d'un pouvoir mathématique mythique, n'est pas une excroissance cérébrale dont certains humains seraient dotés dès la naissance, laissant ceux qui en sont démunis pantois devant les prouesses accomplies par les nantis! L'échec en maths n'est pas une fatalité et les nombreuses études qui se penchent sur cette question réussissent à montrer que le maniement correct des concepts mathématiques repose sur des bases de raisonnement dont la construction commence dès le début de la vie.

Notre réflexion suivra ce parcours génétique du raisonnement logico-mathématique dont l'issue aidera l'enfant à jongler avec les nombres qui jalonneront son parcours scolaire, bien sûr, mais aussi le reste de sa vie.

Ce volume du «Dictionnaire de logopédie» donne un aperçu supplémentaire de la diversité des champs d'action du logopède. Sa vocation première le conduit à emprunter toutes les ramifications issues de ce tronc commun qu'est le langage, au sens le plus large du terme. Cet instrument, qui donne son identité à l'être humain, se subdivise en de multiples manifestations qui se reflètent mutuellement, à la manière d'une succession de miroirs destinés à augmenter le champ de profondeur d'un espace. La cheville ouvrière de cette construction, sans doute infinie, est ce que Jean Piaget appelle, tout au long de son œuvre, la «fonction symbolique». Source vive de la représentation et de l'abstraction, elle alimente l'ensemble des capacités cognitives, contribuant ainsi à l'essor des mots et des nombres.

Cette recherche nous a permis de sonder et de partager les idées de nombreux auteurs. Peut-être pouvons-nous rendre ici un hommage tout particulier à Jean Piaget, dont l'immensité de l'œuvre permet un questionnement sans fin, tout comme celle de Francine Jaulin-Mannoni, récemment disparue et dont les qualités de clinicienne ont aidé plus d'un praticien à élargir l'horizon de la rééducation.

Claire Campolini.

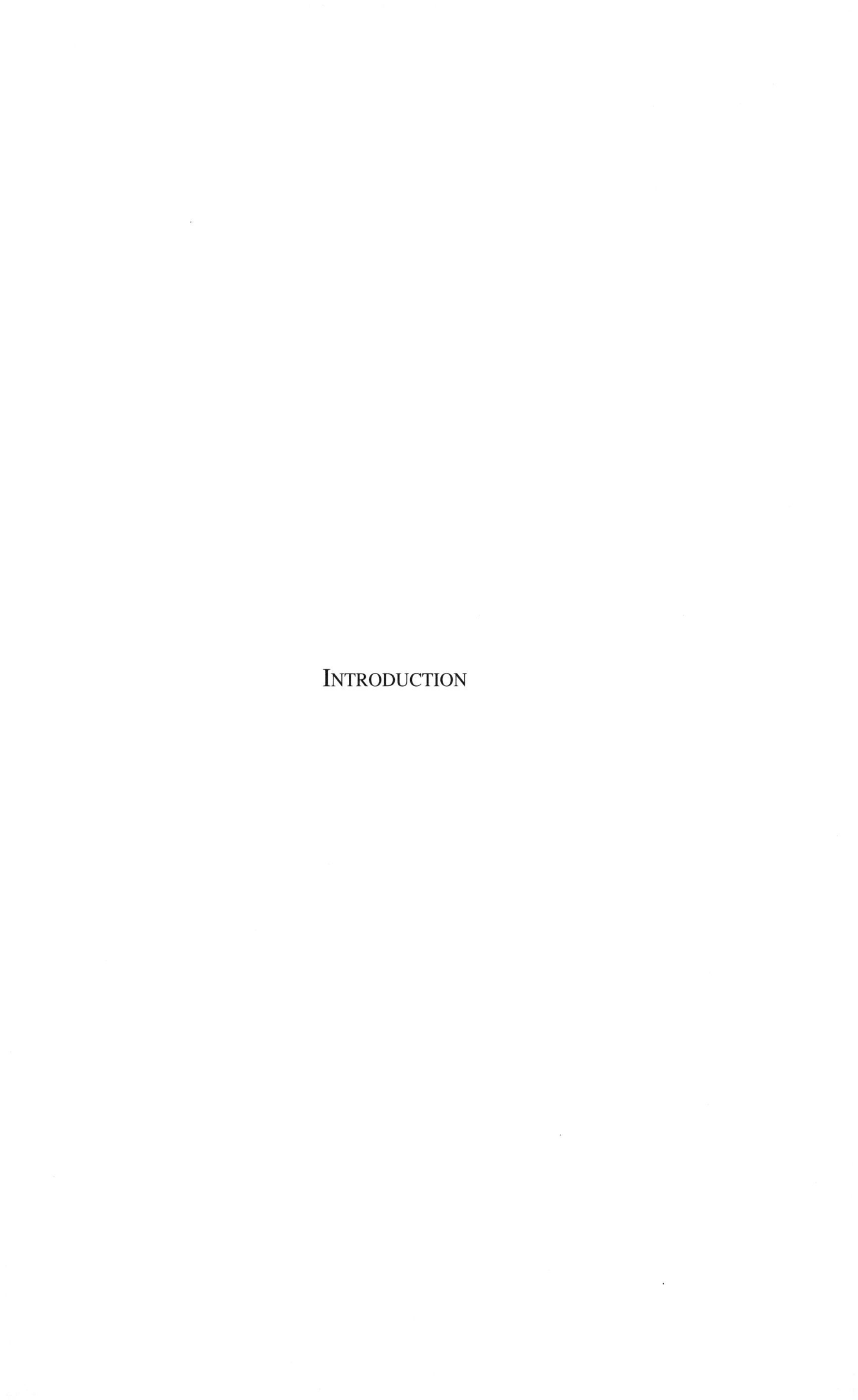

INTRODUCTION

Et si le nombre m'était compté...

> ***«Le monde est écrit***
> ***en langage mathématique.»***
> *Galilée*

Ce petit énoncé, évoquant le langage et l'écriture, a conforté notre désir d'élargir notre recherche terminologique aux mathématiques. Sans doute le commun des mortels ne se tourne-t-il pas d'emblée vers les logopèdes pour résoudre les problèmes qui peuvent survenir dans cette matière souvent vécue comme éminemment scolaire. Les parents penseront d'abord au «professeur particulier» et à ses cours (tout aussi particuliers) pour tenter d'éviter à l'enfant un déraillement catastrophique ou un débordement intempestif dans la résolution de problèmes de trains ou de robinets!

N'a-t-on pas l'habitude d'opposer (à tort, sans doute), «les littéraires» aux «matheux»; les uns s'amusent avec les mots, les autres trouvent leur bonheur avec les chiffres. Les premiers peuvent se muer en rats de bibliothèque, les seconds en cerveaux de laboratoire. Et pourtant, il semble que cette antinomie, souvent colportée et transmise de génération en génération, ne soit que chimère dont l'imagination populaire se nourrirait pour expliquer, voire excuser, un parcours mathématique malheureux.

Les maths: un langage

Revenons au logopède et à son action au niveau des troubles du raisonnement logico-mathématique. S'il s'est créé une place de choix dans la démarche diagnostique et thérapeutique de ces dysfonctionnements, c'est sans doute parce qu'il avait déjà traité d'autres problèmes d'apprentissage scolaire, dans les domaines bien connus de la lecture et de l'orthographe. L'action de collaboration, entamée dans ce contexte avec les enseignants, s'est élargie au domaine des mathématiques, sous-tendu, lui aussi, par la fonction symbolique, propre à tout langage.

Loin de nous d'ignorer les implications cognitive et affective dans l'apprentissage des mathématiques. Les psychologues deviennent ainsi des partenaires essentiels dans une approche thérapeutique pluridisciplinaire. Comme le dit F. Jaulin-Mannoni (1999, p. 182), «chaque détail, chaque geste, chaque calcul nous relie à tous les pôles de nous-mêmes et aux autres détails de l'ensemble du projet dans lequel il s'inscrit. En bref, chaque détail, chaque geste, chaque calcul est marque.»

On retrouve donc bien ici l'absolue nécessité, pour le logopède, de s'inscrire dans une réflexion globale où le symptôme pourra être reconnu pour ce qu'il représente dans le projet d'identité du patient.
Cette approche globale, à nos yeux, justifie en soi le rôle du logopède dans le domaine qui nous occupe; mais son intervention nous semble d'autant plus indispensable que son outil de travail – le langage – est au cœur de la démarche mathématique. Elle nécessite l'utilisation d'un code spécifique, étroitement lié au langage, outil de communication.

L'être humain a donné un nom aux nombres, leur permettant ainsi de rejoindre les autres unités linguistiques de son lexique mental. Ce système de numération parlée est complété par deux systèmes de numération écrite, l'un empruntant l'écriture alphabétique, l'autre l'écriture des chiffres. Chacun de ces codes est régi par des règles bien particulières, impératives et arbitraires.

Le langage mathématique s'inscrit à nos yeux dans le prolongement du langage tout court. Comme lui, il trouve sa source dans l'expérience sensori-motrice de l'enfant qui, en mobilisant son corps dans l'espace et le temps qui l'entourent, va à la rencontre du monde et des êtres. Les multiples expériences quotidiennes vont être progressivement incorporées pour s'épanouir ensuite dans la fonction de représentation qui donne accès à l'abstraction. C'est ainsi que pour arriver à utiliser les symboles +, -, x, :, l'enfant aura dû jouer à ajouter, enlever, multiplier, morceler, tout en développant un lexique avec lequel il se familiarise bien avant son entrée à l'école primaire.

Action et représentation constituent ainsi un substrat solide au développement de la pratique linguistique et mathématique.

Démarche terminologique

Notre parcours fut sensiblement le même que celui suivi précédemment pour les trois premiers tomes de ce recueil terminologique. Il nous a, une fois de plus, permis d'accroître notre étonnement face à la diversité des termes spécifiques utilisés par les logopèdes dans un secteur particulier de leur profession. Si cette spécificité est indéniable, il se confirme aussi, par ailleurs, que la logopédie est un véritable carrefour de sciences diverses dont les embranchements conduisent le praticien à s'investir pour l'essentiel dans les domaines de la médecine, de la linguistique, de la psychologie et de la pédagogie. Cet investissement implique une rencontre où l'échange et le dialogue permettent la compréhension fine et nuancée de la problématique du patient. Le langage particulier de chaque intervenant fait partie intégrante de cette rencontre et doit donc être assimilé, interprété et compris par les membres de l'équipe pluridisciplinaire. C'est donc à cet impératif que nous tentons de répondre en progressant pas à pas dans notre démarche terminologique.

La structure de ce quatrième fascicule sera reconnue par l'utilisateur qui a eu l'occasion d'exploiter les tomes précédents. En effet, nous avons organisé les termes spécifiques du lexique logopédique sous la forme d'un index notionnel, véritable charpente de notre réflexion. Chacun de ces termes est envisagé ensuite, en adoptant l'ordre alphabétique pour permettre à l'utilisateur de le retrouver aisément. Il fait l'objet d'une définition, créée ou reprise à un des auteurs consultés. Les synonymes éventuels ont également été répertoriés. Les définitions, libellées intentionnellement de manière synthétique, ont été complétées par l'adjonction de notes, qui, pour certains termes, se révèlent assez abondantes. En effet, tout au long de ce travail, nous avons été frappées par le caractère particulièrement abstrait des notions retenues. L'objectif initial de ce dictionnaire logopédique est de créer un outil de travail professionnel; mais, comme formatrices de futurs logopèdes, il nous paraît essentiel aussi de répondre aux questions de nos étudiants et de leur donner ainsi un référent susceptible d'éclairer leur recherche personnelle, introduite par les cours et les stages. Ces notes sont parfois le fruit de nos propres réflexions; le plus souvent, elles reflètent fidèlement la pensée d'un auteur que nous citons nommément pour permettre au lecteur qui le souhaite de compléter son exploration en retournant aux sources.

Les liens que les termes entretiennent entre eux apparaissent dans les différents renvois (VA.) qui closent la réflexion sur chaque notion.

La rédaction des définitions et des notes nous oblige souvent à faire appel à des vocables issus des lexiques des diverses sciences que nous côtoyons. Pour éviter au lecteur de devoir recourir à une panoplie d'ouvrages spécialisés, nous avons consigné ces termes dans un glossaire qui reprend aux différents dictionnaires existants les définitions qu'ils en donnent.

La bibliographie retrace les principales étapes de notre parcours. Un travail terminologique se doit de faire un état de la question le plus actuel possible pour rendre compte du lexique réellement utilisé par la spécialité étudiée. Nous avons donc eu à cœur de consulter les publications récentes, mais aussi des ouvrages déjà plus anciens, sans être obsolètes. Ils nous permettent souvent, par leur substrat chargé d'histoire, d'enraciner notre réflexion sur un terrain dont la fertilité rejoint celle des intelligences qui l'ont alimenté.

Sélection des termes

Dans ce travail de longue haleine, nous avons toujours été épaulées positivement par des étudiants de 3e année du graduat en logopédie et de 2e licence en Traduction-Interprétation qui ont choisi de réaliser leur travail de fin d'études dans le cadre de notre recherche terminologique. Sans ces «travailleurs de l'ombre», il n'est pas certain que ce projet ait pu prendre corps, et nous tenons, ici encore, à les remercier d'avoir accepté d'entrer dans une démarche scientifique peu familière aux logopèdes et semée d'embûches. Car c'est un véritable travail de fourmi que chacun d'entre eux a réalisé en dépouillant la littérature francophone du sous-domaine qui lui était attribué. C'est à eux que nous devons la première sélection des termes qui nécessite l'examen minutieux d'un ensemble imposant de publications.

Il leur fallait ensuite entrer dans la logique du discours logopédique pour articuler entre eux les termes sous la forme d'un schéma dont la cohérence était souvent battue en brèche par la diversité des courants interprétatifs qui tentent de sonder les réalités irréductibles de la pensée et du langage.

Le suivi régulier de ces travaux nous a permis de réactualiser, rapidement et efficacement, nos propres connaissances des différents sous-domaines, souvent laissés en friche après un parcours professionnel qui nous oriente nécessairement vers une spécialité, au détriment des autres. Chaque mémoire a donc été pour nous une pierre angulaire, point de départ incontournable de notre réflexion ultérieure.

Le nombre: un concept

Le titre de ce 4e tome du dictionnaire de logopédie, «La construction du nombre» est révélateur de la préoccupation essentielle des chercheurs et des praticiens, quelle que soit la théorie sous-jacente dont ils se revendiquent. C'est en tout cas ce qui nous est apparu au cours de nos lectures. Le nombre est le concept-clé autour duquel se rassemblent les héritiers de Piaget et les partisans du courant issu de la psychologie cognitive et de la neuropsychologie. Il nous est apparu également que les recherches menées par ces différents protagonistes sont, pour l'essentiel, complémentaires. Elles éclairent chacune, en fonction de leur hypothèse de départ, la manière dont l'être humain va s'approprier la clé de voûte du raisonnement mathématique.

«Le nombre ne vient pas des choses, mais des lois de la pensée en travail sur les choses. La réalité le suggère, certes, mais ne le constitue guère. Et c'est précisément parce que l'être humain a su changer les choses de cette réalité en de simples objets de la pensée qu'il a parfaitement pu accomplir tous les progrès que l'on sait» (G. Ifrah, 1984).

Le nombre: une construction

Pour Piaget, la construction du nombre s'inscrit dans le contexte global de la psychologie du développement de l'enfant. Ce développement «n'est pas une simple accumulation d'informations tirées des objets ou du milieu. Ce n'est pas non plus l'expression d'un déroulement purement endogène, dirigé par une programmation héréditaire innée, sans aucune influence de l'environnement. La notion de développement, chez Piaget, repose sur une conception interactionniste et constructiviste de l'intelligence et des connaissances. Piaget explique en effet leur évolution progressive en fonction d'une interaction continuelle entre un sujet structuré, c'est-à-dire en possession de conduites présentant une certaine organisation, et un milieu également structuré auquel le sujet doit sans cesse s'adapter ou se réadapter» (M.F. Legendre-Bergeron, 1980, p. 4).

Sa théorie, constructiviste, conduit donc à se centrer sur l'activité du sujet qui interagit avec son environnement. Le concept du nombre sera construit par l'enfant et mûrira en fonction de ses capacités de raisonnement. En adhérant à l'épistémologie piagétienne, le rééducateur s'intéresse et respecte la progression individuelle de l'enfant, permettant de donner corps, selon un certain ordre séquentiel, à une véritable «sculpture de l'intelligence».

Dans cette perspective, il nous a semblé important de retracer les étapes de ce développement, en essayant néanmoins de garder comme fil conducteur les éléments liés aux connaissances mathématiques. Ce ne fut pas chose aisée, tant il est difficile d'opérer un «tri» dans l'immensité de l'œuvre de Piaget. Sa cohérence interne se traduit par un tissu de liens dont il est illusoire et sans doute dangereux de détricoter les mailles, sous peine de perdre en chemin la substance même de sa construction patiemment sculptée.

La première partie de notre index notionnel tente de rendre compte des structures générales de l'intelligence qui sous-tendent les opérations infra-logiques et logico-mathématiques. Ces dernières vont être au centre de notre réflexion. Elles nous ont permis d'aborder les processus et les mécanismes de construction mis en place par l'intelligence humaine pour tirer parti des expériences vécues. Les processus, qui ont pour nom l'assimilation et l'accommodation, interviendront à tout moment pour permettre à l'enfant une équilibration progressive, lui faisant maîtriser peu à peu les régulations sensori-motrices et perceptives, intuitives et ensuite, opératoires, pour enfin pouvoir aborder les opérations combinatoires et propositionnelles, caractéristiques de l'intelligence formelle et abstraite.

C'est dans cette architecture que s'élaborent les opérations logiques relatives aux transformations, aux classes et aux relations, qui vont peu à peu conduire l'enfant à envisager le nombre comme un concept abstrait, s'élaborant par la synthèse d'un système d'inclusion de classes ainsi que d'un système de relations asymétriques rendant compte à la fois de son aspect cardinal et ordinal. Pour l'atteindre, l'enfant devra franchir les étapes qui le conduiront parallèlement à maîtriser la conservation, la classification et la sériation.

Le nombre: résultat du comptage?

L'approche du nombre, selon les points de vue de la psychologie cognitive et de la neuropsychologie, va accorder une attention particulière aux contextes d'utilisation des nombres et aux influences socio-culturelles qui favorisent une rencontre précoce des nombres par le jeune enfant. Dans cette perspective, l'approche de l'activité de comptage est très étudiée. Gelman et Fuson «constatent que l'importance du comptage dans le développement du concept de nombre a été sous-estimé par Piaget. Cette observation ne remet pas en cause le modèle piagétien. Il est en effet clair que le comptage, à lui seul, ne suffit pas à fonder la compréhension pertinente du nombre et que la véritable maîtrise du concept de nombre repose sur la pensée opératoire. Mais un élargissement du modèle piagétien classique se révèle nécessaire et ce, principalement au niveau des compétences numériques précoces qui contribuent à la construction du nombre» (C. Van Nieuwenhoven, 1999, p. 38).

Outre l'étude du comptage et de son rôle dans la découverte du nombre par l'enfant, le courant cognitiviste et neuropsychologique met au point des modèles permettant de rendre compte de l'organisation et du traitement des nombres à l'âge adulte. «Ces modèles (...) apportent des informations spécifiques pour permettre de comprendre les caractéristiques du fonctionnement mental sous-jacent aux performances observées. La limite principale de ces modèles pour notre problématique est l'absence d'une perspective développementale. Ils traduisent un "état des lieux" à l'âge adulte au niveau de l'organisation et du traitement des nombres mais ne permettent pas de comprendre comment cette architecture se construit progressivement au cours de l'enfance. Cette approche laisse alors peu de place aux processus d'apprentissage et au développement de l'enfant» (C. Van Nieuwenhoven, 1999, p. 44).

Nous n'aborderons donc pas ces modèles, puisque nous avons, nous aussi, cherché à comprendre comment s'élabore le concept du nombre. Par contre, nous envisagerons celui-ci sous l'angle de sa représentation, du comptage et des opérations numériques fondamentales. Toutes ces activités numériques vont permettre à l'enfant d'entrer de plain-pied dans les activités mathématiques qui vont jalonner son parcours scolaire.

«Échec et maths»

C'est l'approche du lexique relatif aux dysfonctionnements qui peuvent apparaître dans le domaine mathématique qui nous a laissées le plus perplexes. En effet, dans les autres domaines de la pratique logopédique, les praticiens ont développé une terminologie variée et nuancée pour formuler le plus clairement possible leur diagnostic. Il ne semble pas en être de même ici. Les termes censés dénommer les troubles sont peu nombreux et désignent le plus souvent une entité syndromique (ex.: dyscalculie, acalculie,...) affublée d'un adjectif permettant au spécialiste de caractériser, sommairement, l'origine probable du dysfonctionnement.

La dyscalculie est une pathologie difficile à cerner et ce terme est parfois utilisé de manière abusive, un peu comme l'a été – et l'est encore – le terme «dyslexie». La perspective défendue à ce propos par F. Jaulin-Mannoni (1999, p. 179) nous a semblé intéressante à développer ici: «Si on admet que la dyscalculie est la pathologie de développement correspondant à la pathologie privative adulte connue sous le nom d'acalculie, l'enfant dyscalculique devrait présenter une incapacité à opérer sur les nombres, sans atteinte de la compréhension. Mais à supposer que de tels cas existent, ce qui est possible, je n'en ai personnellement, en vingt ans de pratique spécialisée, jamais rencontré. J'ai par contre rencontré l'inverse: des enfants ne comprenant rien, mais calculant comme des calculateurs prodiges.

Cela s'explique très bien. En effet, chez l'adulte, la fonction du calcul sur les nombres s'est complètement automatisée. Elle est devenue indépendante de la compréhension et peut donc être touchée de manière isolée. Chez l'enfant, les deux fonctions sont en interconnexion, puisque c'est la compréhension qui permet de connaître le résultat, avant de l'automatiser.

Si on veut que l'expression "dyscalculie" rende compte de ce qu'on rencontre dans les faits sous ce nom dans la pratique, il faut opposer deux volets déterminés par les deux significations du mot "calcul". En un sens restreint, l'idée de calcul est limitée à ce que nous faisons pour trouver le résultat d'opérations portant sur des nombres. Ainsi, nous faisons un "calcul" pour trouver le résultat de 25.766 + 6.789. En ce sens restreint, je n'ai, en vingt ans de pratique clinique spécialisée, jamais rencontré un dyscalculique. En un sens large, le calcul recouvre tout ce qui, dans l'analyse faite ici, rejoint la notion de "construction inférentielle". En ce sens large, la dyscalculie recouvre toutes les formes de difficultés liées à la construction des univers déductifs. Elle est alors banale, mais prend parfois des formes extrêmement graves.»

Les logopèdes qui travaillent avec des enfants dyscalculiques s'accordent à souligner l'importance d'une évaluation qui dépasse le cadre strict des activités scolaires. L'important n'est pas de découvrir que l'enfant n'arrive pas à additionner, soustraire, multiplier ou diviser. Il s'agit, en fait, de «comprendre, par l'observation, la mise en actions et la discussion, les stratégies mises en œuvre par l'enfant en situation et de pouvoir analyser ses réponses en se référant à un modèle théorique, seul garant du projet de rééducation. (...) Ces situations proposées à l'enfant sont prétexte à raisonner, car raisonner, c'est l'art de découvrir des choses qu'on ignore. Il ne s'agit pas de les découvrir par l'expérience ou les manipulations successives et réitérées, mais au contraire les appréhender par déduction à partir d'autres connaissances préalablement établies, seule condition pour que ces découvertes aient valeur anticipatrice» (S. Calvarin et L. Morel, 1999, p. 58).

Évaluer les troubles du calcul, c'est faire le bilan de toutes les facultés de raisonnement de l'enfant et des instruments qui sous-tendent son fonctionnement. Ce qui revient à envisager la globalité de l'être au monde. Cette démarche rend sans doute vaine et insensée sa réduction à un ensemble d'étiquettes diagnostiques.

La terminologie spécifique des troubles acquis dans le domaine du calcul nous a paru tout aussi laconique. Les chercheurs semblent peu enclins à diversifier un lexique susceptible de caractériser nommément la spécificité de la problématique au risque sans doute de la figer. Ils préfèrent s'interroger sur les mécanismes sous-jacents au dysfonctionnement et, à ce niveau, les modèles cognitifs et neuropsychologiques constituent des outils d'évaluation très étudiés dans le contexte de la revalidation neurologique.

La formation du logopède

Le logopède partage avec d'autres spécialistes une démarche de diagnostic et de traitement qui se révèle d'autant plus fructueuse qu'elle s'inscrit dans le contexte d'un travail pluridisciplinaire. Sa formation initiale, si elle lui permet peut-être de cerner l'ampleur de la problématique, ne suffit pourtant pas à lui donner la diversité des points de vue et la finesse d'action nécessaires pour offrir, au jeune enfant surtout, la possibilité de construire par lui-même sa relation au nombre.

La formation continue est une nécessité impérieuse dans ce domaine et elle se doit d'être une interrogation personnelle, sensibilisant le logopède aux multiples facettes de la logique en général et de la sienne en particulier. Le logopède doit en effet pouvoir moduler les éclairages théoriques par un ancrage pratique où la diversité des parcours individuels doit être reconnue et intégrée pour éviter de figer l'enfant dans une «forme» mathématique, rigide et stérile.

Les missions du logopède

L'action du logopède est très souvent définie en termes de diagnostic et de rééducation. Elle peut aussi revêtir un aspect «préventif», même si cette facette est encore peu connue et reconnue par les différents acteurs qui interviennent dans le parcours scolaire de l'enfant. Et pourtant, une mission d'information et de sensibilisation auprès des parents et des enseignants permettrait parfois d'éviter à l'enfant d'entrer dans la spirale infernale de l'échec.

«Peut-on, en effet, se remettre d'avoir été, des années durant, traité soi-même, ou ce qu'on a produit – ce qui est identique – de minable, idiot, paresseux, ridicule, de nul, nulle, nuls en maths sans que quelque chose d'essentiel, de fondamental dans le sentiment et l'idée que l'on a de soi ne soit – parfois irrémédiablement – atteint? Tous ceux qui l'ont subie par eux-mêmes ou à travers des proches savent que cette imputation de nullité en maths est quelque chose de l'ordre d'une marque indélébile, poinçonnée à vie sur les sujets. Et les dégâts produits par cet estampillage sont, en général, irréparables» (S. Baruk, 1985, p. 11).

Si avoir «la bosse des maths» est synonyme «d'être intelligent», ne pas bénéficier de cette excroissance est souvent vécu comme une fatalité, source de dévalorisation profonde.

«Les croûtes, au tableau!» clamait un professeur de mathématiques, bien déterminé à déceler plus finement où le bât blessait chez ces atrophiés du calcul, souvent confinés dans une inertie silencieuse, révélatrice du vide conceptuel. Le plus atroce, sans doute, était de voir se lever certains élèves qui acceptaient, en s'avançant, d'être identifiés au rebut de la classe.

Mais, bien sûr, cette anecdote date du siècle dernier...!

Index notionnel et définitions

CONSTRUCTION DU NOMBRE

1. STRUCTURES COGNITIVES

1) Processus de construction

- *Schème*
  - Schème sensori-moteur
  - Schème verbal
  - Schème intuitif
  - Schème opératoire
  - Schème formel
- *Assimilation*
- *Accommodation*

2) Mécanismes de construction

Équilibration

- *Régulations sensori-motrices et perceptives*
- *Régulations intuitives*
  - Centration
  - Décentration
  - Renversabilité
  - Anticipation
  - Rétroaction
- *Régulations opératoires*
  - Abstraction
  - Abstraction empirique
  - Abstraction réfléchie
  - Abstraction réfléchissante
  - Réversibilité
    - Groupement
- *Opérations combinatoires et propositionnelles*

  Groupe INRC

3) Stades de construction

Intelligence sensori-motrice
Pensée symbolique
Pensée pré-opératoire
Pensée opératoire concrète
Pensée opératoire formelle

4) Contenant de pensée

2. OPÉRATIONS INFRA-LOGIQUES

A. ESPACE

Espace topologique
Espace projectif
Espace euclidien

B. TEMPS

C. CAUSALITÉ

3. OPÉRATIONS LOGICO-MATHÉMATIQUES

A. OPÉRATIONS LOGIQUES

1) Logique des transformations

Étapes

- *Permanence de l'objet*
- *Non-conservation*
- *Pseudo-conservation par identité simple*
- *Conservation opératoire*

Types

- *Conservation des quantités physiques*
  - Conservation de la substance
  - Conservation du poids
  - Conservation de volume
- *Conservation des quantités physiques et spatiales*
  - Conservation du liquide
  - Conservation de la longueur
  - Conservation de la surface
- *Correspondance terme à terme*
  - Appariement
  - Correspondance qualitative globale
  - Correspondance intuitive
  - Correspondance numérique
- *Quotité*
- *Quantité*
  - Quantité continue
  - Quantité discontinue

Conservation numérique
– Conservation de l'identité
– Conservation de l'équivalence
Caractéristiques
– *Invariance*
– *Transitivité*

2) Logique des classes
Étapes
– *Collection figurale*
– *Collection non-figurale*
– *Classification opératoire*
Inclusion
Classe emboîtante
Classe emboîtée
Types
– *Classification additive*
– *Classification multiplicative*
Changement de critère
Caractéristiques
– *Relation de ressemblance*
– *Altérité*
– *Complémentarité*
– *Compréhension*
– *Extension*
– *Équipotence*
– *Équivalence*
– *Cardinalité*
– *Transitivité*
– *Commutativité*
– *Procédé ascendant*
– *Procédé descendant*

3) Logique des relations
Étapes
– *Configuration sériale*
– *Sériation figurale*
– *Sériation opératoire*
Types
– *Sériation*

- *Sériation additive*
- *Sériation multiplicative*

Caractéristiques

- *Relativité*
- *Ordinalité*
- *Transitivité*
- *Compréhension*
- *Extension*

B. Combinatoire

- *Arrangements*
- *Combinaisons*
- *Parties d'ensemble*
- *Permutations*

C. Quantificateur

- Quantificateur numérique
- Quantificateur extensif
- Quantificateur intensif

4. LE NOMBRE

A. Typologie

- Nombre nominal
- Nombre ordinal
- Nombre cardinal

B. Activité numérique

1) Représentation

Représentation analogique

- *Collection-témoin*
- *Collection-témoin organisée*

  Constellation

  Configuration de doigts

Représentation conventionnelle

Numération

- *Numération parlée*

Comptine numérique
Mot-nombre
– Lexicalisation directe
– Opérateur multiplicatif
– Séquence numérique orale
– *Transcodage*
Composition additive numérique
Composition multiplicative numérique
– *Numération écrite*
Chiffre
Système alphabétique
Le calcul

2) Comptage
Techniques
– *Perception globale de petites quantités*
– *Perception immédiate globale*
Numérosité
– *Comptage-numérotage*
– *Dénombrement*
– *Surcomptage*
Procédure d'organisation
– *Ordre non-vicariant*
– *Ordre vicariant*

3) Opération
Opération numérique fondamentale
– Addition
– Soustraction
– Multiplication
– Division
Propriétés
– Associativité
– Commutativité
– Distributivité
Calcul
– Algorithme

5. PATHOLOGIES

A. Dysharmonie cognitive

B. Dyscalculie

- Dyscalculie vraie
- Dyscalculie psychologique
- Dyscalculie pédagogique

Dyscalculique

C. Acalculie

- Acalculie spatiale

D. Anarithmie

E. Difficulté de transcodage

- Alexie pour les nombres
- Agraphie pour les nombres
- Aphasie pour les nombres

ABSTRACTION (n.f.)

Régulation opératoire qui sous-tend l'acquisition des nouvelles connaissances.

Notes: 1. C'est à Piaget que l'on doit cette définition de l'abstraction, reprise par M.F. Legendre-Bergeron (1980, p. 23). Elle précise, par ailleurs, qu'il y a lieu de distinguer «deux types d'abstraction selon qu'il s'agit de connaissances exogènes, c'est-à-dire d'informations tirées des objets ou du milieu, ou de connaissances endogènes, c'est-à-dire de l'information que le sujet tire de ses propres actions sur les objets.»
2. VA. Régulations opératoires.

ABSTRACTION EMPIRIQUE (s.f.)

Type d'abstraction qui intervient dans la formation des connaissances physiques ou empiriques, et qui porte sur les aspects matériels de l'action propre tels que des mouvements, poussées, etc.

Syn. Abstraction simple.

Notes: 1. Cette définition est donnée par M.F. Legendre-Bergeron (1980, p. 23). Elle s'étend sur cette notion en disant: «L'abstraction empirique n'intervient jamais à elle seule, à quelque niveau que ce soit puisque toute information tirée des objets ou du milieu suppose l'intervention d'"instruments d'enregistrement" qui seuls permettent la "lecture de l'expérience". Or ces instruments, conditions préalables à la prise de connaissance de l'objet, sont constitués par les schèmes ou "coordinations de l'action" dont dispose le sujet à chaque stade du développement. Leur évolution progressive relève précisément du processus de l'abstraction réfléchissante. La solidarité de ces deux types d'abstraction signifie que c'est en agissant sur les objets que le sujet parvient à les connaître.»
2. VA. Abstraction.
VA. Abstraction réfléchissante.
VA. Schème.

ABSTRACTION RÉFLÉCHIE (s.f.)

Type d'abstraction qui renvoie à la prise de conscience de son propre fonctionnement.

Notes: 1. C'est par l'abstraction réfléchie qu'on peut comprendre comment on s'y est pris pour résoudre un problème.
2. VA. Abstraction.

ABSTRACTION RÉFLÉCHISSANTE (s.f.)

Type d'abstraction permettant de dégager un certain nombre d'informations concernant les propriétés des objets à la suite des propres actions du sujet sur ceux-ci.

Syn. Abstraction constructive, abstraction pseudo-empirique.

Notes: 1. L'abstraction réfléchissante est celle qui «sous-tend la formation des connaissances logico-mathématiques, issues des coordinations générales de l'action du sujet. Celles-ci représentent pour Piaget les instruments de la connaissance (par exemple, les actions de réunir, ordonner, mettre en correspondance, etc.) et donnent lieu à des abstractions logico-mathématiques» (M.F. Legendre-Bergeron, 1980, p. 23).

2. VA. Abstraction.
   VA. Abstraction empirique.

ACALCULIE (n.f.)

Syndrome pathologique acquis se manifestant par une incapacité à lire ou écrire un nombre sous dictée, accompagnée d'une difficulté à effectuer les opérations numériques fondamentales.

Syn. Acalculie numérique.

Notes:

1. Pour H. Hecaen (1972, p. 279), «l'acalculie est l'atteinte de la faculté de calcul au sens strict: l'ensemble des opérations qui concernent des combinaisons de chiffres et de nombres et les opérations arithmétiques portant sur ces combinaisons posent problème.»
2. Ce trouble se rencontre chez les patients aphasiques tant adultes qu'enfants et a pour origine une lésion focale du cerveau. Pour Van Hout et Seron (1983), l'acalculie paraît fréquente chez l'enfant aphasique, mais on ne dispose guère de renseignements sur la nature des troubles (difficultés opératoires, difficultés de transcodage, troubles agnosiques, etc.).
3. VA. Opération numérique fondamentale.
   VA. Nombre.
   VA. Transcodage.

ACALCULIE SPATIALE (s.f.)

Forme d'acalculie qui se manifeste par une incapacité limitée à l'organisation spatiale des chiffres.

Notes:

1. Ce trouble spécifique se rencontre dans le cadre d'une pathologie plus large: le syndrome de Gertsman, caractérisé par une agnosie digitale, une indistinction gauche/droite, une acalculie spatiale et une apraxie constructive.
2. VA. Acalculie.

ACCOMMODATION (n.f.)

Processus de construction des structures cognitives par lequel les schèmes se modifient sous l'influence des objets ou situations extérieures auxquels ils s'appliquent.

Notes:

1. Cette définition est reprise à M.F. Legendre-Bergeron (1980, p. 25).
2. Elle ajoute (p. 25) que «l'accommodation conduit le schème à se différencier au contact du milieu. C'est elle, en effet, qui permet à un seul schème, à l'origine global et peu différencié, de se spécifier en fonction de la diversité des objets ou situations du milieu avec lequel il interagit.»
3. VA. Processus de construction.
   VA. Structures cognitives.
   VA. Schème.
   VA. Assimilation.

ACTIVITÉ NUMÉRIQUE (s.f.)

Procédure constituée d'un ensemble de règles et de symboles qui permet de travailler sur les nombres.

Notes:
1. Notre système numérique – intitulé système décimal – nous permet avec seulement dix signes – ou chiffres – d'écrire la suite infinie des nombres, en répétant «systématiquement» le même mode de groupement.
2. VA. Nombre.

ADDITION (n.f.)

Opération numérique fondamentale composée de deux ou plusieurs éléments que l'on met ensemble pour former une somme ou un total.

Note:
1. VA. Opération numérique fondamentale.
   VA. Soustraction.
   VA. Calcul.

AGRAPHIE POUR LES NOMBRES (s.f)

Difficulté de transcodage se manifestant par une incapacité à écrire les nombres et qui apparaît suite à une atteinte cérébrale.

Notes:
1. D'après R. Gil (1996, p. 90), «on peut distinguer une agraphie pour les chiffres isolés et une agraphie pour les nombres. L'agraphie pour les chiffres pourrait correspondre à une atteinte lexicale tandis que l'agraphie pour les nombres pourrait correspondre à l'atteinte des processus syntaxiques numériques permettant la combinaison des chiffres en nombres.»
2. Toujours d'après le même auteur (p. 90), «les lésions observées dans les agraphies pour les chiffres et les nombres intéressent plutôt l'hémisphère gauche et seraient liées à des lésions du lobe pariétal.»
3. VA. Difficulté de transcodage.
   VA. Chiffre.
   VA. Nombre.

ALEXIE POUR LES NOMBRES (s.f)

Difficulté de transcodage se manifestant par une incapacité à lire les nombres et qui apparaît suite à une atteinte cérébrale.

Notes:
1. D'après R. Gil (1996, p. 90), «l'alexie des nombres peut être globale ou intéresser les chiffres isolés (ce qui peut être considéré comme comparable à l'alexie littérale) ou encore les nombres avec perte de la signification positionnelle des chiffres, omission et inversion.»
2. Cet auteur signale également (p. 90) qu'«on peut observer une incapacité sélective de la compréhension écrite des nombres, tant en notation verbale qu'en notation arabe contrastant avec une compréhension normale des mots écrits.»
3. VA. Difficulté de transcodage.
   VA. Chiffre.
   VA. Nombre.

ALGORITHME (n.m.)

Ensemble de symboles et de procédés mathématiques pour calculer.

Notes:
1. Par extension, on appelle algorithme tout exercice visant à reproduire des suites dont il faut trouver la loi de formation.
2. Compter de deux en deux – chercher le carré de deux, de trois, de quatre – toutes les progressions – les moyens de trouver le P.P.C.M. (plus petit commun multiple) et le P.G.C.D. (plus grand commun diviseur), sont des algorithmes.
3. VA. Calcul.

ALTÉRITÉ (n.f.)

Caractéristique de la logique des classes qui consiste à observer la différence entre les membres de la classe A et ceux de la classe A' lorsqu'ils se rassemblent sous B.

Notes:
1. Si la classe A représente les animaux et la classe A' les non-animaux, il est possible de les rassembler en B, classe des êtres vivants. L'altérité est ici la différence animal (A)/non-animal (A' = les végétaux).
2. VA. Logique des classes.

ANARITHMIE (n.f.)

Syndrome pathologique acquis se manifestant par une incapacité d'élaboration des conduites relatives aux opérations numériques fondamentales.

Syn. Anarithmétie, dyscalculie opératoire.

Notes:
1. L'anarithmie concerne les patients dont le calcul mental est altéré ou encore d'autres dont le calcul écrit est déficitaire.
2. D'après Jeannerod (1994, p. 443), «les troubles du calcul écrit se manifestent selon des degrés de sévérité variable: incapacité de réaliser les opérations les plus simples, simplification du mécanisme de résolution, confusion des opérations, ou encore, dans les cas les plus légers, erreurs dans les mécanismes particuliers de la retenue et de l'emprunt.»
3. VA. Opération numérique fondamentale.

ANTICIPATION (n.f.)

Forme de décentration permettant d'assimiler le futur au présent et exigeant un projet antérieur à la manipulation effective.

Syn. Mobilité anticipatrice (C. Botson et M. Deliège), pensée anticipatrice (F. Jaulin-Mannoni).

Notes:
1. «Au lieu de fonder son jugement uniquement sur ses actions et perceptions actuelles, l'enfant devient peu à peu capable de relier entre elles ses activités passées et présentes et de prévoir ses activités futures. Il est donc beaucoup moins limité dans l'espace et dans le temps» (M.F. Legendre-Bergeron, 1980, p. 182).
2. D'après C. Botson et M. Deliège (1974, fiche 8), l'anticipation est la «faculté de prévoir une organisation du matériel dont on dispose et le

résultat auquel aboutira cette organisation. C'est aussi la capacité d'imaginer différents critères de classification, de prévoir l'organisation selon chaque critère et le résultat de chacune des organisations.»

3. F. Jaulin-Mannoni (1999, p. 43) réserve l'expression «pensée anticipatrice» pour «le mode de pensée capable de dépasser par un raisonnement les évidences de l'expérience sensible immédiate.» Elle note également que «la construction de l'objet permanent, processus par lequel l'enfant construit l'existence du monde, relève de la pensée anticipatrice.»
4. VA. Rétroaction.
   VA. Décentration.
   VA. Permanence de l'objet.

APHASIE POUR LES NOMBRES (s.f.)

Difficulté de transcodage se manifestant par des déficits de la compréhension et de la production orales des nombres, survenant suite à une lésion cérébrale.

Notes:

1. Pour R. Gil (1996, p. 91), «la compréhension orale des nombres peut être atteinte (avec échec aux comparaisons de nombres présentés verbalement) alors que les nombres écrits en chiffres arabes peuvent être aisément comparés et en l'absence de troubles de la compréhension générale.»
2. Pour cet auteur encore (p. 91), «la production des nombres peut être altérée à l'oral avec, au cours d'aphasies fluentes, des substitutions de nombres à d'autres qui doivent être considérées comme des paraphasies: les performances des sujets en calcul sont alors altérées alors même que les capacités de calcul sont intrinsèquement préservées.»
3. VA. Difficulté de transcodage.
   VA. Nombre.
   VA. Chiffre.
   VA. Calcul.

APPARIEMENT (n.m.)

Procédure empirique apparaissant dans la logique des transformations qui permet la mise par paire d'objets identiques ou ayant un ou plusieurs critères en commun.

Notes:

1. Selon M. Bacquet et B. Gueritte-Hess (1982, p. 27), «cette activité amènera la pensée enfantine vers la notion typiquement prénumérique qu'est la correspondance terme à terme. Déjà elle est preuve d'opérativité mentale sélective, de comparaisons deux à deux, de mise en valeur de critères communs, de différenciations d'après des données visuelles – toutes ces démarches étant les prémices de l'accession au nombre.»
2. C. Van Nieuwenhoven (1999, p. 142) signale qu'une procédure d'appariement peut être maîtrisée par beaucoup d'enfants de 6 ans même pour des collections importantes.
3. VA. Logique des transformations.
   VA. Correspondance terme à terme.
   VA. Nombre

ARRANGEMENTS (n.m.pl.)

Forme d'activités de combinatoire dans laquelle la notion d'ordre intervient et où les éléments d'un ensemble donné ne sont jamais tous pris en compte.

Notes:

1. Soit le problème suivant: quatre enfants (Alain, Benoît, Christine et Didier) vont à la mer en voiture. On ne peut pas mettre plus de trois enfants sur la banquette arrière, mais ils peuvent être soit assis à gauche, soit à droite, soit au milieu. Combien de possibilités différentes y a-t-il?

   La formule étant: $A_n^p = n! / (n-p)!$

   avec p = le nombre d'éléments à choisir (3 dans notre exemple) et
   n = le nombre d'éléments de l'ensemble de référence (4)

   Les différents arrangements possibles, pour notre exemple, seront:
   ABC – ACB – BAC – BCA – CAB – CBA – ABD – ADB – ACD – ADC – BAD – BDA – BCD – BDC – CAD – CDA – CDB – CBD – DAB – DBA – DAC – DCA – DBC – DCB.
   En utilisant la formule ci-dessus, on obtient:
   (4! / (4-3)!) = 24 possibilités.
2. VA. Combinatoire.
   VA. Combinaisons.
   VA. Parties d'ensemble.
   VA. Permutations.

ASSIMILATION (n.f.)

Processus de construction des structures cognitives qui permet d'intégrer ou d'incorporer aux schèmes des données qui leur sont extérieures.

Notes:

1. Cette notion, tout comme celle de l'accommodation, est fondamentale dans la théorie de Piaget. Elle est définie par M.F. Legendre-Bergeron (1980, p. 37) qui poursuit en disant: «L'assimilation désigne en quelque sorte la modification du milieu (objet(s)) par le schème. C'est ainsi qu'un objet saisi est déplacé dans l'espace; les objets classés sont regroupés selon certains critères (formes, couleurs, tailles, etc.)… Par son activité assimilatrice, un schème confère une signification aux objets auxquels il s'applique: objets saisis – objets regardés – objets classés, etc. Ceci revient à dire que l'objet n'acquiert de signification pour le sujet qu'en fonction de l'action qu'il exerce sur lui.»
2. «L'assimilation est le processus par lequel une réalité extérieure est intégrée à un schème. Pour Piaget, le processus d'assimilation est la condition de toute appréhension, par les systèmes cognitifs ou les schèmes, des réalités auxquelles ils sont confrontés ou avec lesquelles ils entrent en interaction. Du point de vue de l'observateur qui l'étudie, toute activité cognitive est en effet une mise en relation d'un sujet avec un objet (au sens large qui inclut autrui) au cours de laquelle le premier peut chercher à reconnaître, à transformer, à expliquer ou à comprendre le second, ce qui ne peut se faire que par l'intermédiaire de notions et de savoir-faire intellectuels préalables (classifications, mises en relation, etc.), qui servent de cadres d'assimilation de l'objet considéré. Il ne saurait donc y avoir de saisie pure de ce qui

s'offre au sujet, ce qui est appréhendé par quelque canal sensoriel que ce soit recevant forcément l'empreinte du cadre cognitif utilisé lors de sa saisie.» (J. Piaget, 2001, notion: assimilation).

3. VA. Processus de construction.
   VA. Structures cognitives.
   VA. Accommodation.
   VA. Schème.

ASSOCIATIVITÉ (n.f.)

Propriété d'une opération numérique fondamentale dans laquelle le groupement de facteurs consécutifs (et leur remplacement par le résultat de l'opération partielle effectuée sur eux) n'affecte pas le résultat.

Notes:

1. L'addition et la multiplication sont associatives.
2. VA. Opération numérique fondamentale.
   VA. Addition.
   VA. Multiplication.
   VA. Commutativité.
   VA. Distributivité.

CALCUL (n.m.)

Mise en relation de quantités à partir de leurs représentations numériques.

Notes:

1. R. Brissiaud (1989, p. 68), en donnant cette définition du calcul, précise que «cette mise en relation de quantités se réalise sans passer par la réalisation physique d'une ou plusieurs collections dont les éléments seraient dénombrés.»
2. Cet auteur signale (p. 68) que «le mot "calcul" vient du latin *calculi* qui signifie "petits cailloux". Ces "calculi" représentaient des dizaines, des centaines, etc., et non pas seulement des unités. On ne "calculait" pas sur des collections-témoins construites par correspondance terme à terme.»
3. Toujours d'après R. Brissiaud (p. 174), «l'étude de l'apprentissage du calcul est un aspect particulier de l'étude plus générale de la transition de la collection-témoin au nombre. Etudier l'apprentissage du calcul, c'est étudier cette transition quand elle est envisagée du point de vue de la mise en relation des quantités. Calculer, c'est donc progresser dans l'appropriation du nombre.»
4. Il est intéressant de distinguer les termes «calcul» et «le calcul». Pour S. Baruk (1992, p. 174), «un calcul est une phase mécanique succédant à la phase de décision qu'est une opération. Il peut éventuellement être confié à une machine. Calculer suppose de connaître les mécanismes et algorithmes spécifiques des calculs correspondant à chaque opération, afin d'exprimer par un troisième nombre la somme, la différence, le produit ou le quotient de deux nombres. Un calcul juste se traduit par une égalité vraie.»
5. VA. Quantité.
   VA. Collection-témoin.
   VA. Correspondance terme à terme.
   VA. Nombre.
   VA. Opération.
   VA. Algorithme.
   VA. Opération numérique fondamentale.

CARDINALITÉ (n.f.)

Caractéristique de la logique des classes qui détermine le nombre d'éléments d'un ensemble donné.

Syn. Valeur cardinale du nombre.

Notes:

1. Le nombre cardinal est le dernier mot-nombre énoncé lorsque l'on dénombre une collection d'objets.
2. Il est possible de déduire le cardinal de l'ordinal et vice-versa.
3. Dans la perspective piagétienne, reprise par C. Van Nieuwenhoven (1999, p. 107), «la cardinalité n'est pas simplement un concept représenté mais un concept opérationnel. Piaget s'est centré sur la définition mathématique classique de la cardinalité en termes de correspondance: deux collections sont de cardinal identique si, et seulement si, leurs éléments peuvent être mis en correspondance terme à terme. En parallèle avec ses recherches sur la conservation, il ne crédite pas les enfants de la compréhension de la cardinalité avant qu'ils n'aient compris que l'équivalence entre deux collections reste inchangée lorsque leur correspondance perceptive est rompue par la dispersion ou le resserrement de l'une des collections».
4. Pour M. Klees (1999, p. 19), «dans le cas des enfants dysphasiques qui sont affectés de très graves retards ou perturbations de la structure du langage et très souvent de troubles moteurs, certaines difficultés deviennent infranchissables. Il sera, par exemple, quasiment impossible, à un enfant souffrant de ce type de pathologie, de passer du cardinal à l'ordinal (de comprendre que, dans une file, si le deuxième s'en va, c'est le troisième qui devient le deuxième).»
5. VA. Logique des classes.
   VA. Ordinalité.
   VA. Nombre.
   VA. Mot-nombre.
   VA. Correspondance terme à terme.

CAUSALITÉ (n.f.)

Composante des opérations infra-logiques qui permet d'appréhender l'univers et d'en dégager les lois.

Notes:

1. La causalité permet de déterminer quels phénomènes provoquent d'autres phénomènes. Elle s'oppose ainsi à la notion de hasard. L'exemple suivant est repris à C. Botson et M. Deliège (1974, fiche 1): «on montre une porte à un sujet, la porte s'ouvre et se ferme et en même temps une sonnerie retentit. On demande à l'enfant quelle est la relation entre les mouvements de la porte et le déclenchement de la sonnerie. Au stade de la pensée formelle, l'analyse de la situation se fera au moyen des opérations propositionnelles et non par tâtonnements au hasard.»
2. Pour M.F. Legendre-Bergeron (1980, p. 41), «l'élaboration de la causalité résulte d'une dissociation progressive du sujet et de l'objet et d'une objectivation des relations entre objets qui consiste à leur conférer une causalité indépendante de l'action propre. Étant relative aux objets, la causalité relève bien de la connaissance expérimentale. Cependant, celle-ci n'est jamais indépendante des instruments de connaissance (i.e. les structures de l'intelligence) dont dispose le sujet pour comprendre et interpréter la réalité, puisqu'il n'existe pas, selon Piaget, de connaissance physique "pure", c'est-à-dire indépendante de l'activité structurante du sujet. La constitution de

relations causales entre les objets fait donc simultanément intervenir une abstraction réfléchissante à partir des actions ou opérations du sujet, source de nos instruments de connaissances logico-mathématiques, et une abstraction empirique à partir des objets eux-mêmes, source de connaissances physiques ou expérimentales. En d'autres termes, c'est grâce au support de ses instruments opératoires que le sujet est capable d'interpréter, sous forme de causalité, les relations entre objets.»

3. VA. Opérations infra-logiques.
   VA. Structures cognitives.
   VA. Abstraction réfléchissante.
   VA. Abstraction empirique.
   VA. Abstraction.

CENTRATION (n.f.)

Régulation intuitive qui conduit à des jugements ou raisonnements centrés sur un aspect privilégié d'un problème ou d'une situation, au détriment des autres aspects.

Syn. Égocentrisme.

Notes:

1. Cette définition est reprise à M.F. Legendre-Bergeron (1980, p. 45). Elle note également que Piaget définit la centration comme une assimilation déformante. «Se centrer, c'est assimiler la totalité du problème en ne s'accommodant qu'à une partie, faute des instruments opératoires qui permettent de relier entre elles des constatations successives, sous une forme simultanée.»
2. «Il existe plusieurs formes de centrations, selon le type d'éléments centrés par le sujet. L'égocentrisme est une centration sur le moi, c'est-à-dire sur le point de vue propre et il résulte d'une indifférenciation entre le moi et le monde extérieur. Dans la pensée intuitive, il y a essentiellement centration sur les états ou configurations au détriment des transformations ou relations entre ces états. C'est ce qui explique les erreurs commises par les enfants de 5-6 ans dans les épreuves de conservation» (M.F. Legendre-Bergeron, 1980, p. 45).
3. VA. Régulations intuitives.
   VA. Conservation.
   VA. Assimilation.
   VA. Décentration.

CHANGEMENT DE CRITÈRE (s.m.)

Action qui intervient au niveau de la classification multiplicative et qui permet de modifier le classement d'une collection d'objets préalablement classée en adoptant un nouveau critère.

Syn. Shifting.

Notes:

1. D'après J. Piaget (1964, p. 288), «le changement de critère ne constitue que l'une des expressions de la mobilité opératoire ou réversible qui marque l'achèvement des structures de classification.»
2. Le changement de critère conduisant d'une classification C à une classification C' ou C'' ne consiste pas simplement à substituer une classification possible à une autre, sans relation avec la première: le «shifting» est lui-même un nouvel ensemble d'opérations.

3. VA. Classification.
   VA. Collection figurale.
   VA. Classification multiplicative.
   VA. Réversibilité.
   VA. Décentration.

CHIFFRE (n.m.)

Signe appartenant au système de numération écrite permettant de représenter de manière conventionnelle un nombre.

Notes:
1. Dans notre système décimal, il existe dix signes différents (de 0 à 9) pour écrire tous les nombres de notre système de numération.
2. VA. Nombre.
   VA. Numération écrite.

CLASSE EMBOÎTANTE (s.f.)

Ensemble d'éléments dont l'étendue permet d'inclure d'autres ensembles plus réduits.

Notes:
1. Une classe emboîtante (ex.: les ronds) peut inclure plusieurs classes emboîtées (ex.: les ronds rouges, les ronds verts...).
2. VA. Inclusion.
   VA. Classe emboîtée.
   VA. Procédé ascendant.
   VA. Procédé descendant.

CLASSE EMBOÎTÉE (s.f.)

Ensemble d'éléments qui est inclus dans un ensemble plus large.

Notes:
1. Exemple de classe emboîtée: l'ensemble des carrés rouges. Il peut être inclus dans l'ensemble des carrés.
2. VA. Inclusion.
   VA. Classe emboîtante.
   VA. Procédé ascendant.
   VA. Procédé descendant.

CLASSIFICATION ADDITIVE (s.f.)

Type de classification utilisant un critère de classement unique.

Syn. Composition additive des classes, classification simple.

Notes:
1. M.F. Legendre-Bergeron (1980, p. 48) distingue:
   - Les classifications additives asymétriques: elles sont représentées par les emboîtements simples tels que: caniches inclus dans chiens inclus dans animaux inclus dans être vivants.
   - Les classifications additives symétriques: elles correspondent aux cas d'ordre «vicariant», c'est-à-dire les cas où les qualités des objets ne sont pas prises en compte pour la classification. Par exemple: les Français plus tous les étrangers à la France = les Belges plus tous les étrangers à la Belgique.
2. Quand l'enfant comprend d'emblée que la classe incluante B est plus nombreuse que la classe incluse A, c'est qu'il se place au point de vue de la composition additive: $B = A + A'$ et $A = B - A'$.

3. Exemple de classification additive: soit B une collection d'objets individuels constituant une classe logique définissable uniquement en termes qualitatifs (= perles en bois, par exemple), et A une partie de cette collection constituant une sous-classe se définissant elle aussi en termes qualitatifs (= perles brunes). Ceci sous-entend l'existence d'une deuxième sous-classe A' se caractérisant par une autre qualité (= perles blanches).
4. VA. Classification opératoire.
   VA. Ordre vicariant.
   VA. Inclusion.
   VA. Classe emboîtante.
   VA. Classe emboîtée.

CLASSIFICATION MULTIPLICATIVE (s.f.)

Type de classification comportant plusieurs critères de classement.

Syn. Classification croisée, composition multiplicative des classes.

Notes:
1. Exemple de classification multiplicative: si le matériel à classer comporte des tulipes rouges ou blanches, des roses rouges ou blanches,... l'enfant devra à la fois tenir compte des fleurs et des couleurs.
2. L'épreuve de «classification» de l'UDN 80 (C. Meljac, 1980) permet une classification multiplicative. On y trouve trois critères de classement: la forme, la couleur et la taille.
3. VA. Classification opératoire.
   VA. Régulations opératoires.
   VA. Décentration.

CLASSIFICATION OPÉRATOIRE (s.f.)

Troisième et dernière étape dans l'acquisition de la logique des classes, qui prépare la voie au nombre et qui consiste à mettre ensemble ce qui va ensemble, en se basant essentiellement sur une ou plusieurs ressemblances, tout en respectant l'extension et la compréhension des éléments à classer.

Syn. Classification.

Notes:
1. Le critère de la classification opératoire est l'inclusion logique des parties dans le tout.
2. D'après M.F. Legendre-Bergeron (1980, p. 48), «les opérations de classification constituent, avec les opérations de sériation, les principaux schèmes opératoires propres à la pensée concrète. Leur acquisition est liée à la constitution de groupements, structures permettant de relier entre elles les opérations du sujet sous une forme réversible. Leur constitution repose sur la différenciation et la coordination de la compréhension (i.e. ensemble des qualités communes aux éléments appartenant à une même classe) et de l'extension (i.e. ensemble des éléments dont la réunion définit la classe) ainsi que sur l'inclusion logique des parties dans le tout. Celle-ci suppose la conservation de la classe totale, c'est-à-dire une quantification exacte des relations entre la classe totale et les sous-classes qui la composent.»
3. VA. Logique des classes.
   VA. Nombre.
   VA. Compréhension.
   VA. Extension.

VA. Réversibilité.
VA. Inclusion.
VA. Schème opératoire.
VA. Groupement.

COLLECTION FIGURALE (s.f.)

Première étape dans l'acquisition de la logique des classes au cours de laquelle l'enfant arrive à disposer des éléments à classer sous la forme de configurations spatiales particulières qui ne tiennent compte ni de la compréhension, ni de l'extension de ces ensembles.

Notes:

1. D'après M.F. Legendre-Bergeron (1980, p. 51), «les collections figurales sont caractérisées par le fait que:
   - le sujet ne parvient pas à regrouper tous les objets en classes distinctes (les cercles, les carrés, les rouges, les bleus, etc.) et donc à utiliser correctement des critères de classification;
   - les critères utilisés pour constituer les collections ne sont pas objectifs (formes, couleurs) mais s'appuient sur des relations de convenance ou d'affinité reliées à une configuration spatiale particulière (par ex.: une maison, un train, une figure géométrique formée de 2 cercles avec un carré au centre);
   - lorsque le sujet parvient à utiliser des critères tels que la forme, la couleur ou la dimension, il les utilise de façon successive et non simultanée, ayant recours à un seul critère à la fois. Il alignera ainsi les objets en changeant de critères au fur et à mesure de sa construction et en établissant ses critères de proche en proche (d'abord tous les jaunes: cercles, triangles, carrés; puis tous les carrés, jaunes, verts et rouges, puis tous les rouges, etc.).»
2. Piaget, repris par M.F. Legendre-Bergeron (1980, p. 51), considère que «les collections figurales construites par les sujets, à ce niveau, témoignent d'une indifférenciation et partant d'un défaut de complémentarité entre les caractéristiques de compréhension (i.e. ensemble des qualités communes aux individus appartenant à une même classe) et d'extension (i.e. ensemble des individus appartenant à une classe donnée) inhérentes à toute classification. Elles manifestent également une confusion entre deux types de structures: les structures logiques portant sur des objets ou éléments discrets (ex.: carrés rouges, ronds bleus, ronds verts, etc.) et les structures infra-logiques ou spatio-temporelles portant sur des parties ou éléments d'objets continus (tels qu'une maison formée d'un carré et d'un triangle ou un train formé de rectangles et de cercles). C'est pourquoi, au lieu d'établir une classification opératoire de tous les éléments (carrés bleus, carrés rouges, cercles bleus, cercles rouges, triangles bleus, triangles rouges, etc.), les sujets se contentent de sélectionner quelques éléments leur permettant de constituer une collection figurale.»
3. VA. Logique des classes.
   VA. Compréhension.
   VA. Extension.
   VA. Opérations infra-logiques.

COLLECTION NON-FIGURALE (s. f.)

Deuxième étape dans l'acquisition de la logique des classes au cours de laquelle l'enfant parvient à réaliser des petites collections, sur la base de critères qui ne lui permettent pas toujours de tenir compte de tous les éléments et en ignorant l'inclusion hiérarchique des parties dans le tout.

Notes:
1. D'après M.F. Legendre-Bergeron (1980, p. 53), «les collections non-figurales représentent une étape intermédiaire entre les collections figurales, premières ébauches de classification, et la classification proprement opératoire qui nécessite, pour se constituer, l'emploi d'opérations concrètes. Le niveau des collections non-figurales correspond à la pensée intuitive ou prélogique que manifestent les enfants de 5-7 ans. Il est donc caractérisé par le recours à des régulations intuitives ou décentrations qui conduiront peu à peu à l'opération.»
2. L'enfant à qui on présente 5 chiens et 3 moutons et à qui on pose la question: «Y a-t-il plus d'animaux ou plus de chiens?» répondra à ce stade: «Il y a plus de chiens parce qu'il y a juste 3 animaux (= moutons)». Piaget attribue cette non-conservation du tout B = A + A' (animaux = chiens + moutons) qui empêche l'inclusion logique à un défaut de réversibilité opératoire, c'est-à-dire à une absence de coordination entre deux opérations dont l'une est l'inverse de l'autre: si B = A + A' alors A = B – A' et A' = B – A. C'est ainsi que pour l'enfant de 5 – 6 ans, le tout B (animaux) disparaît lorsqu'on dissocie l'une de ses sous-classes pour la comparer à la classe totale.
3. VA. Logique des classes.
   VA. Inclusion.
   VA. Décentration.
   VA. Collection figurale.
   VA. Régulations intuitives.
   VA. Réversibilité.
   VA. Classification opératoire.
   VA. Opérations logiques.

COLLECTION-TÉMOIN (s.f.)

Représentation analogique de la quantité où l'extension d'une collection est représentée par l'extension d'une autre collection.

Notes:
1. R. Brissiaud (1989, p. 62), pour parler des collections-témoins, évoque les bergers de Mésopotamie qui utilisaient des cailloux pour garder la mémoire de la quantité de bêtes de leur troupeau.
2. Pour cet auteur (p. 173), le nombre est défini par opposition à la collection-témoin. Si celle-ci est une représentation analogique de la quantité, le nombre en est une représentation conventionnelle. «C'est ainsi que la collection-témoin est du côté du symbole et le nombre du côté du signe, au sens où la linguistique différencie ces deux mots.»
3. VA. Représentation analogique.
   VA. Représentation conventionnelle.
   VA. Nombre.
   VA. Extension.
   VA. Quantité.

COLLECTION-TÉMOIN ORGANISÉE (s.f.)

Représentation analogique qui permet d'accéder rapidement à la quantité grâce à la configuration spatiale dont elle est porteuse.

Notes: 1. Pour R. Brissiaud (1989, p. 62), «Il est important de bien distinguer les "collections-témoins" des "collections-témoins organisées". Celles-ci sont représentées par les constellations et les configurations de doigts». Pour cet auteur (p. 62), «les constellations et les configurations de doigts permettent une représentation rapide de la quantité correspondante, grâce à la configuration spatiale qui leur est associée.»

2. VA. Représentation analogique.
VA. Quantité.
VA. Collection-témoin.
VA. Constellation.
VA. Configuration de doigts.

COMBINAISONS (n.f.pl.)

Forme d'activités de combinatoire dans laquelle la notion d'ordre n'intervient pas et où les éléments d'un ensemble donné ne sont jamais tous pris en compte.

Notes: 1. La formule suivante pourra être appliquée pour résoudre les problèmes de combinaisons:

$$C_n^p = \frac{n!}{p!(n-p)!}$$

Avec p = le nombre d'éléments à choisir et
n = le nombre d'éléments de l'ensemble de référence.

Si, chez un glacier, parmi un choix de 4 parfums (Vanille, Pistache, Chocolat, Banane), je peux prendre un maximum de 3 boules différentes (jamais les deux mêmes par cornet), quelles sont les différentes glaces que je peux obtenir?

En appliquant la formule ci-dessus, on obtient: 4!/3!(4-3)!. Il y aura donc 4 possibilités: VPC – VPB – VCB – PCB.

2. VA. Combinatoire.
VA. Arrangements.
VA. Parties d'ensemble.
VA. Permutations.

COMBINATOIRE (n.f.)

Opération logico-mathématique, intervenant dans la logique des transformations, des classes et des relations, caractérisée par une gymnastique mentale permettant d'envisager toutes les solutions possibles à un problème donné.

Notes: 1. «Sur le plan de la mathématique, la combinatoire est la discipline qui étudie les lois des différentes formes de combinaisons que l'on peut faire entre des objets (lois mathématiques concernant les permutations, les arrangements avec ou sans répétition d'objets, etc.). En psychologie génétique, la combinatoire désigne cette forme de la pensée formelle qui consiste à combiner de façon systématique, selon des principes proches de ceux que dégage par ailleurs la mathématique, soit des objets matériels, soit des propositions logiques et les opérations qui les relient.» (J. Piaget, 2001, notion: combinatoire).

2. Pour B. Gibello (1986, p. 97), «la combinatoire a pour objectif principal la mobilité de pensée; elle comprend les arrangements, les combinaisons, les parties de l'ensemble et les permutations.»
3. VA. Logique des transformations.
   VA. Logique des relations.
   VA. Logique des classes.
   VA. Arrangements.
   VA. Combinaisons.
   VA. Parties d'ensemble.
   VA. Permutations.

COMMUTATIVITÉ (n.f.)

Propriété caractérisant des groupes ou des groupements d'opérations où l'ordre dans lequel on compose deux opérations n'a pas d'importance.

Notes:

1. La commutativité est souvent définie comme une propriété d'une opération numérique fondamentale dont le résultat est invariable quel que soit l'ordre des facteurs. L'addition et la multiplication sont commutatives.
2. «Il revient au même de commencer par ajouter la classe des filles à la classe des garçons ou de procéder dans l'ordre inverse (ou encore la classe des chiens et la classe des non-chiens). L'addition des différences en logique des relations asymétriques n'est par contre pas commutative. En effet, une différence entre deux éléments d'une série est forcément orientée et basée sur les différences entre les éléments précédents de la série. En d'autres termes, alors que l'on peut ajouter la classe des chiens et la classe des non-chiens pour obtenir la classe des animaux, et cela sans avoir à connaître les sous-classes de la classe des non-chiens, la considération de la différence de longueur entre deux baguettes implique forcément la différence entre la baguette la plus courte et le premier élément de la série selon l'orientation de celle-ci: et cette dernière différence est elle-même conçue comme (équivalente à) la somme des différences des éléments précédents de la série» (J. Piaget, 2001, notion: commutativité).
3. VA. Transitivité.
   VA. Distributivité.
   VA. Logique des classes.
   VA. Opération numérique fondamentale.
   VA. Addition.
   VA. Multiplication.

COMPLÉMENTARITÉ (n.f.)

Caractéristique de la logique des classes qui ne concerne pas la classe envisagée mais qui a trait à l'existence d'une autre classe.

Notes:

1. Pour J. Piaget (1964, p. 122), «ce problème des complémentarités est voisin de celui des emboîtements hiérarchiques.»
2. L'enfant a des difficultés à prendre en compte la classe négative qui correspond à l'ensemble des éléments qui appartiennent à la relation d'altérité, c'est-à-dire ceux qui sont exclus, «ceux qui ne sont pas».
3. Exemple: lorsque dans la classe des animaux, je parle des oiseaux, il existe nécessairement comme sous-classe, les non-oiseaux (mammifères...) qui vont ou non être évoqués.

4. VA. Logique des classes.
   VA. Altérité.

COMPOSITION ADDITIVE NUMÉRIQUE (s.f.)

Agencement permettant le transcodage d'une séquence composée de deux mots-nombres dont celui désigné en premier lieu est supérieur au nombre désigné en second lieu.

Syn. Composition de type additif, composition additive, relation ou coordination additive (Piaget).

Notes:
1. Pour P. Dessailly (1992, p. 28), «chacune des séquences de la série: cent six, cent deux, mille sept, est composée de deux unités lexicales mises en relation par une loi de composition additive numérique dont la transcription chiffrée serait successivement: 100 + 6, 100 + 2, 1000 + 7.»
2. VA. Transcodage.
   VA. Mot-nombre.
   VA. Nombre.

COMPOSITION MULTIPLICATIVE NUMÉRIQUE (s.f.)

Agencement permettant le transcodage d'une séquence composée de deux mots-nombres, dont celui désigné en premier lieu est inférieur au nombre désigné en second lieu.

Syn. Composition de type multiplicatif, composition multiplicative, coordination ou relation multiplicative (Piaget).

Notes:
1. Pour P. Dessailly (1992, p. 28), «chacune des séquences de la série: six cents, deux cents, sept mille, est composée de deux unités lexicales, mises en relation par une loi de composition multiplicative numérique dont la transcription chiffrée serait successivement: 6 x 100, 2 x 100, 7 x 1000.»
2. Pour cet auteur (p. 27), «verbaliser les mots "six" et "cent" comme s'ils étaient simplement juxtaposés, ce qu'autoriserait après tout une interprétation naïve de l'énoncé de surface, reviendrait à considérer des nombres six et cent comme des entités numériques indépendantes. Alors que, tout au contraire, la loi de composition multiplicative qui les unit les subordonne à une unité d'ordre supérieur qui désigne le nombre six cents.»
3. Dans le mot-nombre «quatre-vingts», les mots «quatre» et «vingt» traduisent une relation multiplicative: quatre multiplie vingt.
4. VA. Transcodage.
   VA. Mot-nombre.
   VA. Nombre.

COMPRÉHENSION (n.f.)

Caractéristique de la logique des classes et des relations qui permet de définir un ensemble d'éléments en fonction d'une propriété commune, c'est-à-dire d'un critère qui le relie à une classe tout en le différenciant des autres classes.

Notes:
1. Pour M. Fayol (1980), définir un ensemble en compréhension, c'est donner le(s) critère(s) qui a (ont) permis de former la classe.

2. C. Botson et M. Deliège (1974, fiche 7) définissent «la compréhension de la classe comme la ou les qualités nécessaires pour appartenir à cette classe (ex. rond). Tous les membres d'une même classe ont donc entre eux une relation d'équivalence qui est une relation "en compréhension". Cette relation les différencie, d'autre part, des membres des autres classes (ex. les carrés, les triangles, et d'une manière tout à fait générale les "non-ronds").»
3. Pour J. Piaget et B. Inhelder (1972, p. 51), «un système de classes logiques est d'abord fondé sur un ensemble de relations de ressemblances et de différences qui constituent les compréhensions des diverses classes emboîtantes ou emboîtées.»
   VA. Extension.
   VA. Logique des classes.
   VA. Logique des relations.
   VA. Équivalence.
   VA. Classe emboîtante.
   VA. Classe emboîtée.

COMPTAGE (n.m.)

Activité numérique qui permet de se représenter le nombre d'éléments d'un ensemble donné et de raisonner sur les quantités.

Notes:
1. Cette définition, reprise par C. Van Nieuwenhoven (1999, p. 45), a été proposée par Gelman et Gallistel (1978).
2. Fuson (1991, p. 161) définit le comptage comme «un instrument culturel utilisé par l'enfant pour construire les concepts de nombre cardinal, ordinal et de nombre-mesure, lorsqu'il s'agit de collections de petites tailles.»
3. Pour C. Van Nieuwenhoven (1999, p. 205), «dans la mesure où le comptage est un outil efficace pour construire le concept de cardinal, il doit avoir une place déterminante au niveau des premières approches numériques et être globalement intégré au cursus scolaire des jeunes enfants». Elle souligne en plus que dans une perspective évaluative diagnostique, il faudrait que le comptage ait une place privilégiée dans les batteries d'évaluation des compétences numériques des jeunes enfants.
4. C. Van Nieuwenhoven (1999, p. 46) reprend à Gelman «les cinq principes qui président au comptage:
   - le principe d'ordre stable (stable ordering) selon lequel les mots-nombres doivent constituer une séquence stable,
   - le principe de correspondance terme à terme (one-one principle) selon lequel à chaque élément compté correspond un et un seul mot-nombre,
   - le principe cardinal (cardinal principle) selon lequel le dernier mot-nombre utilisé dans une séquence de comptage représente le nombre d'éléments de l'ensemble compté,
   - le principe d'abstraction (abstraction principle) selon lequel l'ensemble sur lequel porte le comptage peut être constitué d'éléments hétérogènes tous pris comme unité,
   - le principe de non-pertinence de l'ordre (order irrelevance principle) selon lequel le comptage des éléments peut se faire dans n'importe quel ordre, pour autant que les autres principes soient respectés.

   Les trois premiers principes définissent la procédure de comptage c'est-à-dire se réfèrent au "comment compter". Plus spécifiquement, le quatrième principe détermine le type d'ensemble sur lequel peut porter le comptage.

Quant au cinquième principe, il permet de distinguer le comptage du simple étiquetage.»

5. VA. Nombre.
   VA. Mot-nombre.
   VA. Correspondance terme à terme.
   VA. Activité numérique.
   VA. Quantité.
   VA. Cardinalité.
   VA. Nombre cardinal.
   VA. Nombre ordinal.

COMPTAGE-NUMÉROTAGE (s.m.)

Technique de comptage ne permettant pas d'accéder à la valeur cardinale d'un ensemble, le dernier mot-nombre ainsi que les précédents ne représentant rien d'autre que des numéros.

Notes:

1. Pour R. Brissiaud (1989, p. 30), «certains enfants ne savent rien faire de leur comptage-numérotage... sauf montrer à l'adulte qu'ils savent compter. Pour d'autres, c'est un outil efficace qui leur permet, en un certain sens, de représenter les quantités, mais il ne faut pas se tromper sur la nature de cette représentation: c'est la suite "(un) (deux) (trois) (quatre)" dans son ensemble qui représente une quantité de quatre objets et non le dernier de ces mots-nombres (quatre). Ce n'est pas encore une représentation numérique.»
2. VA. Comptage.
   VA. Cardinalité.
   VA. Mot-nombre.
   VA. Quantité.

COMPTINE NUMÉRIQUE (s.f.)

Système de numération parlée qui consiste à réciter la suite verbale des nombres dans leur ordre conventionnel, comme un poème ou une chanson, sans parvenir à la notion des valeurs quantitatives correspondantes.

Syn. Suite verbale des nombres, litanie des nombres.

Notes:

1. Pour R. Brissiaud (1989, p. 47), «la comptine numérique joue un rôle mnémotechnique considérable: si les lettres n'étaient pas ordonnées en une «comptine» que l'on sait réciter, on serait probablement incapable de se rappeler toutes les lettres de l'alphabet en un temps réduit. De la même manière, ici, l'enfant aurait beaucoup de mal à se rappeler le nom de chaque quantité s'il ne disposait pas de l'ordre conventionnel des mots-nombres.»
2. VA. Numération parlée.
   VA. Nombre.
   VA. Mot-nombre.
   VA. Quantité.

CONFIGURATION DE DOIGTS (s.f.)

Représentation analogique des nombres permettant de communiquer une quantité à l'aide d'une collection-témoin organisée.

Syn. Pattern digital, collection-témoin de doigts.

Notes: 1. Pour R. Brissiaud (1989, p. 62), «l'usage de collections-témoins organisées aide les enfants à accéder au nombre... Les constellations et les configurations de doigts ne sont pas des collections-témoins ordinaires. En effet, les constellations et les configurations de doigts permettent une représentation rapide de la quantité correspondante, grâce à la configuration spatiale qui leur est associée. Dans le cas des configurations de doigts, le mot "organisé" est même faible: au-delà de la vue, la sensation kinesthésique permet à elle seule une représentation quasi instantanée des quantités, elle permet de "sentir" les quantités sur les doigts. Peut-être, dans ce cas, faudrait-il les appeler des collections-témoins "organiques". C'est parce que ces modes de représentation ont la caractéristique d'être rapides qu'ils aident les enfants à représenter les pluralités sous une forme unifiée (par un signe unique).»

2. VA. Collection-témoin organisée.
VA. Représentation analogique.
VA. Nombre.
VA. Mot-nombre.
VA. Constellation.
VA. Quantité.

CONFIGURATION SÉRIALE (s.f.)

Étape dans l'acquisition de la logique des relations, apparaissant au stade sensori-moteur, où l'enfant est capable, sous une forme tâtonnante et non systématique, de sérier des éléments dont les différences sont perceptivement suffisantes pour apparaître à une simple inspection d'ensemble.

Notes: 1. J. Piaget et B. Inhelder (1967, p. 249) illustrent cette définition en disant: «lorsqu'un bébé d'un an et demi construit une tour en superposant des plots de grandeurs décroissantes, ou lorsqu'un peu plus tard il réussit l'épreuve des encastres Montessori, il se livre en fait à des conduites de sériation et à des conduites qui, tout en englobant la perception des relations, comportent un schème sensori-moteur dépassant la simple perception. Il est donc permis de se demander si les configurations sériales perceptives ne sont pas influencées par de tels schèmes d'action au lieu d'en constituer la source.»

2. VA. Logique des relations.
VA. Sériation.
VA. Schème sensori-moteur.

CONSERVATION DE LA LONGUEUR (s.f.)

Forme particulière de la conservation des quantités physiques et spatiales qui concerne les longueurs.

Notes: 1. La conservation des longueurs s'acquiert vers l'âge de 7 ans (Dolle, 1991, p. 147).

2. VA. Conservation des quantités physiques et spatiales.

CONSERVATION DE LA SUBSTANCE (s.f.)

Forme particulière de la conservation des quantités physiques qui concerne les solides.

Syn. Conservation de la matière.

Notes:
1. La conservation de la substance s'acquiert vers l'âge de 7-8 ans. A ce stade, l'enfant peut admettre qu'une grosse boule peut être constituée de la même quantité de matière que plusieurs petites.
2. VA. Conservation des quantités physiques.

CONSERVATION DE LA SURFACE (s.f.)

Forme particulière de la conservation des quantités physiques et spatiales qui concerne les surfaces.

Notes:
1. La conservation de la surface s'acquiert vers l'âge de 9-10 ans.
2. VA. Conservation des quantités physiques et spatiales.

CONSERVATION DE L'ÉQUIVALENCE (s.f.)

Type de conservation numérique qui se réfère à la connaissance de la relation d'équivalence entre deux ensembles qui n'est pas modifiée par transformation.

Notes:
1. Cette définition est reprise à C. Van Nieuwenhoven (1999, p. 146).
2. VA. Conservation numérique.
   VA. Conservation opératoire.
   VA. Équivalence.

CONSERVATION DE L'IDENTITÉ (s.f.)

Type de conservation numérique qui se réfère à la connaissance du nombre d'objets dans un ensemble unique.

Notes:
1. Cette définition est reprise à C. Van Nieuwenhoven (1999, p. 146).
2. VA. Conservation opératoire.
   VA. Conservation numérique.

CONSERVATION DES QUANTITÉS PHYSIQUES (s.f.)

Forme particulière de la conservation des quantités continues qui concerne la substance, le poids et le volume.

Notes:
1. L'élaboration des notions de conservation des quantités physiques constitue une acquisition fondamentale du niveau opératoire concret.
2. Tandis que la permanence de l'objet est acquise dès la fin de la première année, les notions de la conservation de la substance, du poids et du volume ne s'élaborent qu'au cours de la seconde enfance, soit entre 7 et 12 ans; la raison en est évidemment qu'ils supposent à la fois une dissociation des différents aspects quantifiables de la matière (poids, volume, etc.) et une quantification de ces qualités.
3. Les conservations de surface, de liquide et de longueur sont également des quantités physiques mais qui sont en plus spatiales.
4. VA. Conservation de la substance.
   VA. Permanence de l'objet.
   VA. Conservation du poids.
   VA. Conservation du volume.
   VA. Conservation des quantités physiques et spatiales.

CONSERVATION DES QUANTITÉS PHYSIQUES ET SPATIALES (s.f.)

Forme particulière de la conservation qui concerne les liquides, la longueur et la surface.

Note: 1. VA. Conservation du liquide.
VA. Conservation de la longueur.
VA. Conservation de la surface.

CONSERVATION DE VOLUME (s.f.)

Forme particulière de la conservation des quantités physiques qui concerne le volume.

Notes: 1. La conservation de volume s'acquiert vers l'âge de 11-12 ans.
2. VA. Conservation des quantités physiques.

CONSERVATION DU LIQUIDE (s.f.)

Forme particulière de la conservation des quantités physiques et spatiales qui concerne les liquides.

Notes: 1. La conservation des liquides s'acquiert vers l'âge de 7 ans.
2. VA. Conservation des quantités physiques et spatiales.

CONSERVATION DU POIDS (s.f.)

Forme particulière de la conservation des quantités physiques qui concerne le poids.

Notes: 1. La conservation du poids s'acquiert vers l'âge de 9-10 ans.
2. La conservation du poids est moins concrète que celle des quantités de matière: on constate qu'il faut attendre un à deux ans de plus pour que l'enfant affirme que le poids d'un objet ne varie pas lorsqu'on déforme cet objet.
3. VA. Conservation des quantités physiques.

CONSERVATION NUMÉRIQUE (s.f.)

Type de conservation opératoire, liée à l'évolution et à l'intégration des opérations logiques qui permet à l'enfant d'envisager le nombre en soi, d'un point de vue logique, dégagé des apparences sensibles.

Syn. Conservation du nombre.

Notes: 1. Dans la perspective piagétienne, reprise par C. Van Nieuwenhoven (1999, p. 207), «la conservation du nombre est intrinsèquement liée à l'évolution et à l'intégration des capacités logiques de sériation et de classification.»
2. VA. Conservation opératoire.
VA. Nombre.
VA. Sériation.
VA. Classification.
VA. Opérations logiques.

CONSERVATION OPÉRATOIRE (s.f.)

Étape ultime de la logique des transformations qui implique la capacité de dégager les aspects invariants d'un objet quelconque au travers des transformations qu'il subit et celle d'imaginer mentalement le retour au point de départ qui annule la transformation.

Syn. Conservation.

Notes:

1. Pour C. Botson et M. Deliège (1974, fiche 2), «les notions de conservation sont le meilleur critère de l'apparition des opérations logiques concrètes. En présence de la transformation d'un état A en un état B, le raisonnement opératoire permet de dégager la propriété qui reste invariante (conservation) et d'imaginer le retour possible de B en A, retour qui annule la transformation (réversibilité).»
2. Piaget, repris par M.F. Legendre-Bergeron (1980, p. 62), «a identifié, au cours de ses observations, trois principaux types d'arguments utilisés par l'enfant de niveau opératoire concret pour justifier la conservation:
   - l'identité: l'enfant invoque pour raison que: "c'est la même chose parce qu'on n'a rien enlevé et on n'a rien ajouté";
   - la réversibilité par annulation (par inversion: Dolle, 1991, p. 137): l'enfant fait remarquer que si l'on effectue la transformation inverse, on retrouve ce que l'on avait au point de départ. Ainsi, dans le cas de la boulette de pâte à modeler sectionnée en petits morceaux, l'enfant invoque le fait que si on réunit les morceaux de pâte à modeler, on obtient de nouveau la boulette;
   - la réversibilité par compensation: dans le cas, par exemple, où l'on transvase dans un verre large et bas, l'eau contenue dans un verre plus haut et plus étroit, l'enfant dira qu'il y a la même quantité de liquide dans les deux verres parce que "c'est moins haut mais c'est plus large".»
3. VA. Logique des transformations.
   VA. Invariance.
   VA. Réversibilité.
   VA. Opérations logiques.

CONSTELLATION (n.f.)

Représentation analogique des nombres permettant de communiquer une quantité à l'aide d'une collection-témoin organisée.

Notes:

1. Pour R. Brissiaud (1989, p. 62), «les constellations et les configurations de doigts permettent une représentation rapide de la quantité correspondante, grâce à la configuration spatiale qui leur est associée.»
2. Exemples de constellation:

3. VA. Représentation analogique.
   VA. Collection-témoin organisée.
   VA. Nombre.
   VA. Configuration de doigts.
   VA. Quantité.

CONTENANT DE PENSÉE (s.m.)

Structure cognitive, servant de cadre et de limite, dans laquelle des contenus de pensée peuvent apparaître, prendre sens, être compris et communiqués.

Notes: 1. Les contenants de pensée sont par exemple: les actions intériorisées, la décentration, le double point de vue, la réversibilité et l'abstraction en ce qui concerne l'acquisition du nombre. Ils semblent suivre une évolution complexe depuis la plus tendre enfance.

2. VA. Structures cognitives.
VA. Décentration.
VA. Réversibilité.
VA. Abstraction.
VA. Nombre.

CORRESPONDANCE INTUITIVE (s.f.)

Étape dans l'acquisition de la correspondance terme à terme au cours de laquelle toute correspondance est fondée sur les seules perceptions et ne se conserve pas en dehors du champ perceptif.

Notes: 1. Exemple: soit deux rangées de pions disposées comme suit:

○ ○ ○
○ ○ ○

si on déplace une des rangées vers la droite

○ ○ ○
  ○ ○ ○

l'enfant qui se trouve au stade de la correspondance intuitive affirmera qu'il y a la même quantité de pions dans le premier cas mais plus dans le second.

2. VA. Correspondance terme à terme.
VA. Conservation opératoire.
VA. Quantité.
VA. Schème intuitif.

CORRESPONDANCE NUMÉRIQUE (s.f.)

Étape dans l'acquisition de la correspondance terme à terme qui fait abstraction des qualités des parties en les considérant comme des unités.

Syn. Correspondance quelconque, correspondance quantifiante, correspondance opératoire.

Notes: 1. Pour J. Piaget (1964, p. 96), «durant ce stade, la correspondance se libère de la figure intuitive et l'on voit apparaître des opérations spontanées de contrôle, par dissociations des totalités et mises en série. La correspondance devient ainsi une correspondance opératoire, soit qualitativement, soit numériquement.»

2. Au départ des deux ensembles de pions suivants:

○ ○ ○   ○ ○ ○
○ ○ ○   ○ ○ ○

l'enfant ayant atteint le stade de la correspondance numérique affirme qu'il y a la même quantité de jetons dans les deux cas. Ce stade est possible grâce à l'acquisition de la réversibilité.

3. VA. Correspondance terme à terme.
   VA. Réversibilité.
   VA. Quantité.
   VA. Schème opératoire.

CORRESPONDANCE QUALITATIVE GLOBALE (s.f.)

Étape dans l'acquisition de la correspondance terme à terme où toute correspondance est uniquement fondée sur les qualités des éléments correspondants.

Notes:
1. Lorsque l'enfant juge la quantité par l'espace occupé, on parle de correspondance qualitative globale.
2. «Mettre en correspondance qualitative deux rangées d'éléments, c'est en effet placer ces éléments en regard les uns des autres selon les mêmes intervalles et la même longueur totale.» (J. Piaget et A. Szeminska,1980, p. 123).
3. VA. Correspondance terme à terme.
   VA. Quantité.

CORRESPONDANCE TERME À TERME (s.f.)

Outil logico-mathématique intervenant dans la logique des transformations qui permet le comptage grâce à l'association deux par deux des éléments de deux ensembles équipotents, de sorte que tout élément de l'ensemble de départ ait une et une seule image dans l'ensemble d'arrivée, et vice-versa.

Syn. Bijection.

Notes:
1. Pour J. Piaget (1964, p. 60), «la correspondance terme à terme est un procédé constitutif du nombre entier puisqu'il fournit la mesure la plus simple et la plus directe de l'équivalence des ensembles.»
2. Selon un exemple connu, repris par M. Klees (1999, p. 17), «le berger qui met dans sa main un petit caillou (calculus) chaque fois qu'un mouton quitte l'enclos le matin, peut tout à fait savoir si tous les moutons sont rentrés le soir en enlevant un petit caillou à chaque passage de l'un d'eux. Et cette opération peut se réaliser sans connaître le nombre total de têtes que contient le troupeau. C'est par un procédé de correspondance terme à terme que le berger arrive à une conclusion. La correspondance terme à terme est le propre de l'appariement: il existe un appariement d'une collection donnée sur une autre si, à tout élément de l'une correspond un élément unique de l'autre et inversement.»
3. Pour Gelman et Meck, repris par C. Van Nieuwenhoven (1999, p. 77), dans le comptage, «selon le principe de correspondance terme à terme (the one-one principle), les enfants doivent faire correspondre un seul mot-nombre à chaque élément de l'ensemble à dénombrer. L'usage correct du principe de correspondance terme à terme ne nécessite pas que les éléments comptés le soient dans un ordre particulier. Il requiert seulement qu'à chaque élément ne soit assigné qu'un seul mot-nombre.»
4. VA. Logique des transformations.
   VA. Équivalence.
   VA. Équipotence.
   VA. Nombre.

VA. Mot-nombre.
VA. Appariement.
VA. Comptage.

DÉCENTRATION (n.f.)

Régulation intuitive qui consiste à effectuer des mises en relation entre des objets ou entre des actions sur des objets et les résultats observés afin d'engendrer un nouveau point de vue.

Syn. Mobilité de pensée.

Notes:
1. F. Jaulin-Mannoni (1999, p. 152) envisage ce concept dans le cadre de la théorie de J. Piaget. «Dans la notion de décentration, importante dans la théorie piagétienne, l'accent n'est pas tant mis sur le changement de point de vue et sur la souplesse de pensée qu'il nécessite, que sur la notion d'équilibration de tous les points de vue en un système d'ensemble. C'est la coordination des points de vue qui construira une structure.»
2. En un sens particulier, F. Jaulin-Mannoni (1999, p. 152) utilise le terme décentration «pour la capacité à se situer du point de vue d'autrui. Ainsi, lorsqu'un petit enfant jouant à cache-cache ferme les yeux et, parce qu'il ne voit plus les autres, se croit caché, il ne se décentre pas. La décentration comporte des aspects logiques et construit notre représentation du monde.»
3. VA. Régulations intuitives.
   VA. Régulations opératoires.
   VA. Centration.

DÉNOMBREMENT (n.m.)

Technique de comptage permettant de comprendre que le dernier mot-nombre prononcé représente à lui seul la quantité de tous les objets présents dans la collection.

Syn. Comptage quantifiant.

Notes:
1. Cette définition est reprise à R. Brissiaud (1989, p. 31).
2. Pour cet auteur, dans «dénombrement», il y a «nombre», ce qui rappelle que cette procédure aboutit à une représentation numérique de la quantité.
3. Pour P. Op de Beeck (1999, p. 131), qui reprend certains principes énoncés pour le comptage par Gelman, «dénombrer une collection de X objets implique:
   - le principe de correspondance terme à terme entre objets dénombrés et noms de nombres;
   - le principe d'ordre stable selon lequel la suite des noms de nombres correspond à une séquence fixe;
   - le principe de cardinalité en vertu duquel le dernier terme fourni lors de l'activité du dénombrement correspond au cardinal de la collection évaluée;
   - le principe d'abstraction selon lequel l'hétérogénéité des collections n'a aucune incidence sur le dénombrement.»
4. Selon Cl. Meljac (1979, pp. 62-63), «les enfants dénombrent moins bien qu'ils ne récitent. En effet, surtout chez les jeunes enfants, la bijection systématique entre le symbole numérique d'une part et l'élément à décompter lui-même d'autre part n'est pas du tout clairement établie. Lorsque la configuration est irrégulière, les enfants ne savent ni où commencer, ni où

s'arrêter et égrènent alors la suite qu'ils ont mémorisée sans se soucier des correspondances. Parfois même, en cas de lignes régulières, la "chanson" va plus vite que le mouvement des doigts correspondant (ou des yeux seuls), à moins qu'elle ne progresse plus lentement.»

5. VA. Comptage.
   VA. Mot-nombre.
   VA. Correspondance terme à terme.
   VA. Cardinalité.
   VA. Abstraction.
   VA. Quantité.
   VA. Nombre.

DIFFICULTÉ DE TRANSCODAGE (s.f.)

Pathologie qui atteint les procédés permettant de passer d'une séquence chiffrée à une séquence orale et inversement.

Notes: 1. Ces difficultés sont appelées différemment selon les auteurs: on parle d'«alexie et agraphie pour les nombres» et d'«aphasie pour les nombres».
2. VA. Transcodage.
   VA. Alexie pour les nombres.
   VA. Agraphie pour les nombres.
   VA. Aphasie pour les nombres.

DISTRIBUTIVITÉ (n.f.)

Propriété d'une opération numérique fondamentale qui doit être effectuée indifféremment sur le résultat d'une autre opération ou sur chacun des membres de même niveau que celle-ci.

Notes: 1. La multiplication est distributive par rapport à l'addition, [ax(b+c)=(axb)+(axc)], mais l'addition ne l'est pas par rapport à la multiplication.
2. VA. Transitivité.
   VA. Commutativité.
   VA. Opération numérique fondamentale.
   VA. Addition.
   VA. Multiplication.

DIVISION (n.f.)

Opération numérique fondamentale par laquelle on partage une quantité en un certain nombre de parties égales.

Notes: 1. Cette opération est le contraire de la multiplication.
2. VA. Opération numérique fondamentale.
   VA. Multiplication.
   VA. Quantité.
   VA. Calcul.

DYSCALCULIE (n.f.)

Pathologie se manifestant par des difficultés persistantes en mathématiques.

Notes: 1. Pour M. Klees (1999, p. 24), «la dyscalculie ne peut pas seulement être considérée comme un retard dans la maîtrise de la faculté de calculer – retard qu'il serait possible d'objectiver par des "tests de niveau" et auquel l'éducateur pourrait remédier par des exercices répétitifs. La dyscalculie représente d'abord un dysfonctionnement dans le processus de structuration des nombres dont le retard scolaire n'est que la conséquence et ne présente que "la partie visible de l'iceberg". La pratique des rééducations nous apprend que l'origine de cette perturbation réside dans le fait que l'enfant ne perçoit absolument pas le sens de la notion de nombre, même lorsque de faibles quantités sont en jeu. (Note: dans la dyslexie également, l'enfant arrive péniblement à déchiffrer sans parvenir à passer ensuite des sons au sens.)»

2. Par ailleurs, pour F. Flagey et E. Hasaerts (1984, p. 40), «il semble important, dans le cadre d'une formation de rééducateur, de démystifier ce mot en le présentant comme un simple descripteur d'une réalité complexe et disparate qu'il convient de considérer avec attention face à chaque situation spécifique.»

3. VA. Nombre.
VA. Quantité.

DYSCALCULIE PÉDAGOGIQUE (s.f.)

Forme de dyscalculie liée à des carences dans les stimulations scolaires ou préscolaires.

Notes: 1. La dyscalculie pédagogique peut être due à des erreurs de méthodes, des absentéismes,...

2. VA. Dyscalculie.

DYSCALCULIE PSYCHOLOGIQUE (s.f.)

Forme de dyscalculie résultant de déficiences intrinsèques, de blocages ou encore de régressions affectives.

Syn. Dyscalculie relationnelle.

Note: 1. VA. Dyscalculie.

DYSCALCULIE VRAIE (s.f.)

Forme spécifique de dyscalculie, globale et précoce, touchant la fonction de calcul et l'apprentissage du nombre, non explicable par une déficience intellectuelle, par un déséquilibre affectif, sensoriel ou neurologique ou encore par des causes ou circonstances pédagogiques directes.

Syn. Dyscalculie d'évolution.

Notes: 1. La notion de nombre est altérée dans son abord tant concret qu'abstrait. La difficulté se manifeste dans tous les aspects du calcul, que ce soit l'ordination, la cardination ou l'opérativité arithmétique.

2. VA. Dyscalculie.
VA. Nombre.
VA. Ordinalité.
VA. Cardinalité.
VA. Calcul.

DYSCALCULIQUE (n.m.)

Patient présentant une forme d'échec spécifique, durable et tenace dans l'apprentissage des nombres et dans celui de l'effectuation des opérations, même aux stades élémentaires, à un âge où ces notions devraient être acquises depuis longtemps, alors qu'il est d'intelligence normale et que, par ailleurs, il raisonne fort justement dans les circonstances quotidiennes.

Notes:
1. «Chez certains enfants dyscalculiques, les déficiences portent non seulement sur la réalisation des opérations mais aussi, et parfois de manière sélective, sur la capacité de dénommer ou d'écrire des nombres. En effet, l'apprentissage du calcul implique la maîtrise de deux codes distincts en langue écrite: la numération chiffrée de position (numérique) et la langue maternelle (numérale); et d'un seul en langue parlée: la langue naturelle (ou numérale).» (A.N.A.E., 1995, p. 4).
2. VA. Dyscalculie.
   VA. Opération.
   VA. Calcul.
   VA. Numération parlée.
   VA. Numération écrite.
   VA. Nombre.

DYSCALCULIQUE (adj.)

Relatif à la dyscalculie.

Note:
1. VA. Dyscalculie.

DYSHARMONIE COGNITIVE (s.f.)

Syndrome pathologique lié à une perturbation de l'équilibre des processus d'assimilation et d'accommodation et qui se manifeste par une pensée très hétérogène dans ses formes et ses procédures.

Notes:
1. La paternité de ce concept revient à B. Gibello.
2. Cet auteur fait la distinction entre «dysharmonie cognitive normale» et dysharmonie cognitive pathologique». Les dysharmonies cognitives normales correspondraient à des décalages individuels dans l'acquisition d'une structure de raisonnement.
3. B. Gibello (1984, p. 65) note que «la dysharmonie cognitive pathologique a pour conséquence de diminuer de façon importante l'efficience intellectuelle sans que le sujet soit conscient de ses particularités: tout se passe comme s'il existait un clivage entre les formes de pensée de niveau opératoire différent.»
4. Ce même auteur précise (p. 81) que «la dysharmonie cognitive pathologique explique les multiples difficultés d'apprentissage du langage et de la psychomotricité, les difficultés d'apprentissage scolaire et les difficultés d'apprentissage social. (...) Habituellement, la lecture courante n'est pas acquise, l'orthographe est catastrophique, les connaissances en calcul réduites à la connaissance hésitante de la numération avec confusion du nombre et du chiffre. Des opérations arithmétiques, seule l'addition est comprise; la soustraction est d'autant plus tâtonnante que la notion d'inclusion n'est pas acquise, non plus que les systèmes de sériation et de mesure.»

5. VA. Assimilation.
   VA. Accommodation.
   VA. Numération.
   VA. Nombre.
   VA. Chiffre.
   VA. Opération numérique fondamentale.
   VA. Inclusion.
   VA. Sériation.
   VA. Calcul.

ÉQUILIBRATION (n.f.)

Mécanisme de construction des structures cognitives qui assure, tout au long du développement, la cohérence interne des conduites en même temps que leur adaptation au milieu.

Notes:

1. Pour M.F. Legendre-Bergeron (1980, p. 70), à qui nous devons la définition ci-dessus, «l'équilibration représente le facteur essentiel du développement de l'intelligence auquel sont subordonnés tous les autres facteurs. (...) L'équilibration est un mécanisme de construction interne non héréditaire, faisant intervenir des régulations d'abord sensori-motrices et perceptives pour ce qui est de l'action, puis intuitives (les décentrations) et opératoires (la réversibilité des opérations) pour ce qui est de l'intelligence représentative. Ces régulations sont inhérentes à l'interaction continuelle du sujet avec le milieu, c'est-à-dire à l'alternance des processus d'assimilation et d'accommodation. Elles consistent essentiellement en une modification progressive de l'action ou de l'opération en fonction des résultats de leur application antérieure à l'objet. Elles aboutissent à une réversibilité croissante de l'action et de la pensée. Elles ont pour effet de différencier les schèmes et de les coordonner, engendrant ainsi des conduites nouvelles.»
2. «L'équilibration est le processus interne par lequel des instruments (et en particulier des structures et des schèmes opératoires) d'assimilation, d'explication et de transformation du réel de plus en plus puissants sont construits par le sujet au cours de sa psychogenèse. Cette notion, notons-le, peut être généralisée pour être appliquée à tout système cognitif capable de s'auto-organiser et s'auto-transformer dans le sens d'un accroissement de ses instruments d'assimilation et de transformation du milieu avec lequel il interagit, ce milieu pouvant être éventuellement créé par le système lui-même.» (J. Piaget, 2001, notion: équilibration).
3. VA. Mécanismes de construction.
   VA. Structures cognitives.
   VA. Régulations sensori-motrices et perceptives.
   VA. Régulations intuitives.
   VA. Régulations opératoires.
   VA. Schème.
   VA. Schème opératoire.
   VA. Assimilation.
   VA. Accommodation.
   VA. Réversibilité.

ÉQUIPOTENCE (n.f.)

Caractéristique de la logique des classes qui permet d'apparier deux ensembles de même cardinal.

Notes:
1. «Les ensembles “7 pommes” et “7 poires” sont équipotents. Ils ne sont pas égaux mais ils peuvent être appariés (reliés par une bijection, mise en correspondance 1-1)» (G. Van Hout, 1994, p. 112).
2. Lorsqu’on parle d’équipotence, on ne tient pas compte de la qualité des objets analysés.
3. VA. Logique des classes.
   VA. Cardinalité.
   VA. Correspondance terme à terme.
   VA. Équivalence.
   VA. Appariement.

ÉQUIVALENCE (n.f.)

Caractéristique de la logique des classes qui permet de nommer de diverses façons une seule et même quantité à partir d’unités différentes tout en introduisant la notion d’égalité.

Syn. Structures d’équivalence, relations d’équivalence.

Notes:
1. Exemple d’équivalence: 1 an, c’est 12 mois, c’est aussi 365 jours.
2. L’équivalence nécessite les notions de permanence, de conservation et de double point de vue. Elle ne peut donc être comprise que lorsque l’enfant est au stade opératoire (vers 7 ans).
3. «Une relation d’équivalence conduit à des classements en groupes d’éléments qui ont une propriété commune (ces groupes s’appellent des classes d’équivalence).» (X. Roegiers, 1989, p. 53).
4. Le travail de classification fera apparaître l’équivalence.
5. VA. Logique des classes.
   VA. Conservation.
   VA. Quantité.
   VA. Décentration.
   VA. Réversibilité.

ESPACE (n.m.)

Composante des opérations infralogiques qui concerne les rapports de l’individu à son environnement.

Notes:
1. L’espace est un donné perceptif, préexistant à l’individu, qu’il va devoir progressivement s’approprier. L’enfant, dans sa découverte de l’espace, va apprendre à s’orienter et à structurer un ensemble de données spatiales.
2. Dans cette découverte, le corps va jouer un rôle essentiel: il permettra à l’enfant de construire les repères nécessaires à l’organisation de l’espace.
3. VA. Opérations infralogiques.
   VA. Espace topologique.
   VA. Espace projectif.
   VA. Espace euclidien.

ESPACE EUCLIDIEN (s.m.)

Opération spatiale utilisant des systèmes de référence qui permettent une coordination d’ensemble, une analyse des formes et une métrique.

Notes:
1. Pour C. Botson et M. Deliège (1974, fiche 40), «se référer à un système de coordonnées, c’est être capable d’évaluer les positions et les distances de

différents objets les uns par rapport aux autres en se servant d'un système de référence extérieur à ces objets. Lorsqu'il s'agit de situer différents éléments se trouvant dans un même plan (surface), on construit un tableau à double entrée (coordonnées à deux dimensions). Il permettra de localiser chaque élément dans l'un des carrés délimités. S'il faut situer des éléments dans l'espace (volume), on se sert alors d'un tableau à triple entrée (coordonnées à trois dimensions). Il permettra de localiser chaque élément dans l'un des petits cubes délimités.»

2. Ce n'est qu'à partir du stade des opérations formelles (11-12 ans) que l'enfant peut concevoir des systèmes de référence qui permettent de juger simultanément des positions et des distances.
3. VA. Opérations infralogiques.
   VA. Espace.
   VA. Espace topologique.
   VA. Espace projectif.
   VA. Pensée opératoire formelle.

ESPACE PROJECTIF (s.m.)

Opération spatiale qui suppose la coordination des différents points de vue possibles sur un objet, c'est-à-dire des perspectives.

Notes:

1. Pour Piaget (1948, p. 184), «l'espace projectif débute psychologiquement lorsque l'objet ou la figure cessent d'être envisagés simplement en eux-mêmes, pour être considérés relativement à un point de vue: point de vue du sujet comme tel, auquel cas intervient une relation de perspective, ou point de vue d'autres objets sur lesquels il se trouve projeté.»
2. Dès l'âge de quatre ou cinq ans, l'espace projectif et l'espace euclidien commencent à s'ébaucher sur la toile de fond de l'espace topologique. Mais les représentations correspondantes portent toujours la marque de la prééminence de l'intuitif sur l'opératoire et de l'égocentrisme sur la pluralité des points de vue. Par exemple, tel jeune enfant qui sait parfaitement distinguer sa gauche et sa droite est incapable d'indiquer correctement la gauche et la droite d'une personne lui faisant face.
3. VA. Opérations infralogiques.
   VA. Espace.
   VA. Espace topologique.
   VA. Espace euclidien.
   VA. Pensée pré-opératoire.
   VA. Pensée opératoire concrète.

ESPACE TOPOLOGIQUE (s.m.)

Opération spatiale mettant en jeu un ensemble de rapports élémentaires qui vont permettre une organisation perceptuelle progressive de l'espace.

Notes:

1. L'enfant se familiarise avec l'espace topologique par ses jeux et ses multiples expériences.
2. Les rapports topologiques à l'espace sont:
   - le voisinage qui permet à l'enfant de percevoir la proximité des éléments dans un même champ perceptif,
   - la séparation qui fournit le moyen de dissocier les éléments voisins,
   - l'ordre qui lui permet de percevoir une organisation entre divers éléments à la fois voisins et séparés, distribués à la suite les uns des autres,

- l'entourage ou l'enveloppement qui conduit à la perception des rapports d'intériorité entre les objets,
- la continuité qui permet de relier entre elles des perceptions différentes.

3. VA. Opérations infralogiques.
   VA. Espace.
   VA. Espace euclidien.
   VA. Espace projectif.

EXTENSION (n.f.)

Caractéristique de la logique des classes et des relations qui permet de définir un ensemble en fonction de la quantité d'éléments qui le composent.

Syn. Quantification.

Notes:

1. La notion d'extension se rencontre essentiellement dans la logique des classes où l'on parle de quantificateurs intensifs qui permettent de quantifier. Il s'agit de «tous», «quelques» et «aucun».
2. Pour C. Botson et M. Deliège (1974, fiche 7), «l'extension est l'étendue de la classe que l'on peut évaluer numériquement (il y a quatre ronds) ou non (il y a quelques ronds).»
3. Pour définir une classe en extension, on nommera tous les éléments séparément en les désignant par ce qui les distingue des autres. Exemple: Dans la classe des fruits, il y a la pomme, la poire et la prune.
4. Pour J. Piaget (repris par F. Jaulin-Mannoni, 1999, p. 218), «l'équilibration entre l'extension et la compréhension est l'une des caractéristiques du stade opératoire.»
5. VA. Compréhension.
   VA. Logique des classes.
   VA. Quantificateur.
   VA. Quantificateur intensif.
   VA. Quantité.
   VA. Pensée opératoire concrète.

GROUPE INRC (s.m.)

Structure propre aux opérations combinatoires et propositionnelles qui permet de coordonner en un système unique deux formes de la réversibilité opératoire.

Notes:

1. «Du point de vue psychologique, le groupe INRC désigne l'une des structures qui agit au sein de la pensée formelle en lui donnant une puissance opératoire accrue par rapport aux structures caractérisant l'intelligence représentative concrète. Ce groupe unit à l'intérieur d'une seule structure les deux formes d'opérations réversibles, l'inversion (N) et la réciprocité (R), caractéristiques des deux familles de structures opératoires à l'œuvre au sein de la pensée concrète (les structures de classe et celles de relation). Les deux autres éléments du groupe sont l'opération identique (I), et l'opération corrélative (C), qui revient à prendre l'opération corrélative de celle à laquelle elle s'applique. En dépit de sa simplicité apparente (le groupe INRC n'est composé que de quatre opérations, contrairement au nombre théoriquement illimité d'opérations que peuvent traiter les structures opératoires concrètes), le fait que les opérations de ce groupe aient pour objet les opérations liées à la pensée concrète explique la raison du décalage vertical constaté entre la

maîtrise de l'intelligence opératoire concrète et celle de l'intelligence opératoire formelle.» (J. Piaget, 2001, notion: groupe INRC).

2. M.F. Legendre-Bergeron (1980, p. 79) précise que «Le groupe INRC est la structure d'ensemble des opérations formelles. Elle comporte un certain nombre de règles de compositions ou transformations opératoires permettant de définir les relations qui existent entre les diverses opérations formelles. Celles-ci sont de nature hypothético-déductive. En effet, au lieu de porter directement sur les objets, leur réunion, leurs relations ou leur dénombrement, elles portent sur les opérations effectuées sur ces objets. Elles sont donc constitutives d'un système d'opérations à la seconde puissance: le groupe INRC.»
3. Elle poursuit en disant que «Piaget définit également le groupe INRC comme un "groupement de groupement" ou "groupement à la seconde puissance".»
4. VA. Opérations combinatoires et propositionnelles.
   VA. Réversibilité.
   VA. Logique des transformations.
   VA. Logique des relations.
   VA. Logique des classes.
   VA. Groupement.

GROUPEMENT (n.m.)

Structure d'ensemble, accessible au niveau des opérations concrètes, reliant les opérations les unes aux autres selon un principe de composition réversible.

Notes:

1. Selon M.F. Legendre-Bergeron (1980, p. 94), «les groupements se caractérisent par deux particularités essentielles qui les opposent aux structures formelles:
   - ils constituent des schèmes d'emboîtements ou d'enchaînements simples ou multiples, mais sans combinatoire reliant n à n les divers éléments en présence; ils n'atteignent par conséquent pas la structure du réseau qui comporte une telle combinatoire ("l'ensemble de parties") mais demeurent à l'état de semi-réseaux;
   - ils présentent une réversibilité consistant soit en inversion (classes) soit en réciprocité (relations) mais échouent à réunir ces deux formes de réversibilité en un système unique; ils ne rejoignent par conséquent pas la structure du groupe des inversions et réciprocités (le groupe INRC) et demeurent à l'état de groupes incomplets.»
2. Pour J. Montangero et D. Maurice-Naville (1994, p. 164), «le groupement n'a rien à voir avec un ensemble de formules abstraites et statiques. Il s'agit d'une coordination d'opérations, autrement dit d'une composition d'actions intériorisées.»
3. VA. Régulations opératoires.
   VA. Groupe INRC.
   VA. Réversibilité.
   VA. Schème.

INCLUSION (n.f.)

Niveau de classification de type opératoire qui désigne une relation d'ordre entre deux ensembles de telle sorte que l'ensemble A soit inclus dans l'ensemble B si tous les éléments du premier appartiennent également au second.

Syn. Inclusion logique.

Notes:

1. Pour M.F. Legendre-Bergeron (1980, p. 105), «l'inclusion hiérarchique des parties dans le tout constitue le critère de la classification proprement opératoire. Elle fait intervenir une notion de conservation puisqu'elle s'appuie sur la conservation du tout B, lorsqu'on dissocie les sous-classes A et A' qui le composent. Elle suppose donc l'intervention d'opérations interreliées et interdépendantes:
   - B = A + A'
   - A = B – A'
   - A < B ou B >A
   - A' < B ou B > A'

   Inclure une sous-classe (par exemple: les marguerites) dans une classe totale (les fleurs), c'est admettre la permanence de la classe totale (ensemble des fleurs comprenant entre autres les marguerites) lorsqu'on lui compare une des sous-classes (primevères, marguerites, tulipes, œillets, etc.) qui la composent.»
2. L'inclusion est transitive: si C est inclus dans B et B est inclus dans A, C est forcément inclus dans A.
3. Sur le plan numérique, les éléments sont également classables selon les inclusions (<), 1<(1+1)<(1+1+1), etc.
4. VA. Classification opératoire.
   VA. Conservation.
   VA. Transitivité.
   VA. Procédé ascendant.
   VA. Procédé descendant.
   VA. Classe emboîtante.
   VA. Classe emboîtée.

INTELLIGENCE SENSORI-MOTRICE (s.f.)

Stade de construction des structures cognitives au cours duquel s'organisent progressivement des conduites qui permettront à l'enfant de s'adapter aux objets et à l'espace proches sur lesquels il pourra exercer une activité motrice et perceptive adéquate.

Notes:

1. Cette définition est reprise à M.F. Legendre-Bergeron (1980, p. 109). Elle insiste sur le fait que «l'intelligence sensori-motrice est une intelligence essentiellement pratique, situationnelle, limitée dans l'espace et dans le temps parce qu'elle s'appuie sur l'action et sur la perception et ne fait intervenir ni représentation, ni langage, ni concept. Elle n'en constitue pas moins un mode d'adaptation important puisqu'elle conduit à la constitution d'objets permanents ainsi qu'à la structuration de l'univers spatio-temporel proche, c'est-à-dire lié à l'action et à la perception.»
2. VA. Structures cognitives.
   VA. Stades de construction.
   VA. Régulations sensori-motrices et perceptives.
   VA. Permanence de l'objet.

INVARIANCE (n.f.)

Caractéristique se rapportant à la logique des transformations et qui désigne dans tout changement ce qui ne varie pas.

Notes: 1. Si l'enfant n'est pas parvenu à cette certitude qu'une quantité donnée ne change pas, quelles que soient la nature des éléments comptés ou leur disposition spatiale, c'est qu'il n'a pas encore pris conscience de l'invariance du nombre, clé de voûte de la numération.

2. «La notion d'invariant est liée à celle de groupe (ou de groupement) d'opérations ou de transformations. Lorsque dans une telle structure une opération ou une transformation est réalisée, tout n'est pas modifié: ce qui reste inchangé, ce sont les invariants du groupe. Les invariants sont essentiels pour la pensée mathématique. Ce sont eux qui permettent d'opérer mathématiquement sur une réalité (par exemple d'ajouter une longueur à une autre). Soit par exemple les déplacements d'un élément dans l'espace euclidien. De tels déplacements laissent invariantes les dimensions de cet élément. De même, en arithmétique, on peut ajouter un nombre à un autre. Aucun de ces deux nombres n'est modifié par l'opération d'addition. Le nombre trois ne disparaît pas lorsqu'on lui applique le nombre (l'opération numérique) quatre. Et en logique concrète, la classe des fleurs reste inchangée lorsqu'on lui applique l'opération de soustraction (lorsqu'on lui soustrait la classe des tulipes par exemple).» (J. Piaget, 2001, notion: invariant).

3. La notion d'invariance, une fois acquise, va permettre la compréhension des notions de réversibilité et de transitivité.

4. VA. Logique des transformations.
VA. Réversibilité.
VA. Transitivité.
VA. Groupement.
VA. Quantité.
VA. Nombre.
VA. Numération.

LEXICALISATION DIRECTE (s.f.)

Représentation conventionnelle des nombres utilisant une correspondance biunivoque entre un concept numérique et un seul mot.

Notes: 1. En français, cette lexicalisation directe existe, entre autres, pour tous les nombres de 0 à 16, tout comme pour «cent», «mille», «million», «milliard»...

2. VA. Représentation conventionnelle.
VA. Nombre.

LOGIQUE DES CLASSES (s.f.)

Opération logique faisant référence à tout ce qui touche aux classifications et qui permet de regrouper des éléments dans des rubriques qui deviennent des concepts.

Note: 1. VA. Classification opératoire.
VA. Opération logique.

LOGIQUE DES RELATIONS (s.f.)

Opération logique faisant référence à tout ce qui touche aux relations et donc aux sériations.

Notes: 1. Il existe différentes relations telles que les relations d'ordre (le premier, le deuxième ...), les relations de grandeur (être plus grand que ...), les relations de filiation (être le fils de,...), les relations temporelles (avant, après...).
2. VA. Sériation.
VA. Opération logique.

LOGIQUE DES TRANSFORMATIONS (s.f.)

Opération logique faisant référence à tout ce qui touche aux changements et à ce qui se conserve malgré eux.

Note: 1. VA. Conservation opératoire.
VA. Opération logique.

MÉCANISMES DE CONSTRUCTION (s.f.)

Structures cognitives qui permettent un ajustement progressif des conduites en fonction de leurs interactions adaptatives avec le milieu.

Notes: 1. Cette définition est reprise à M.F. Legendre-Bergeron (1980, p. 11), qui poursuit en disant: «c'est justement cet ajustement progressif qui constitue les mécanismes du développement mental. Ceux-ci sont représentés par ce que Piaget appelle les régulations de l'action et de la pensée. Les régulations ne sont pas autre chose que les mécanismes dont use le sujet pour régler ses conduites, au fur et à mesure qu'il les exerce. Elles consistent essentiellement dans le passage de l'égocentrisme et de la centration à l'objectivité, grâce à une décentration croissante de l'action et de la pensée. Ce sont elles qui assurent le passage de l'assimilation déformante à l'assimilation opératoire, source d'objectivité. Les régulations interviennent à deux niveaux: celui de l'action (intelligence pratique ou sensori-motrice); celui de la pensée (intelligence verbale et réfléchie.)»
2. VA. Équilibration.
VA. Régulations sensori-motrices et perceptives.
VA. Régulations intuitives.
VA. Régulations opératoires.
VA. Centration.
VA. Décentration.
VA. Assimilation.
VA. Structures cognitives.

MOT-NOMBRE (s.m.)

Système de numération parlée qui consiste à utiliser un lexème pour représenter un concept numérique.

Notes: 1. Pour R. Brissiaud (1989, p. 24), «de la même manière qu'il faut différencier les nombres et les chiffres (qui servent à désigner les nombres sous une forme écrite), il faut donc différencier les nombres de ce que les Anglo-Saxons appellent les "mots-nombres" qui servent à désigner les nombres sur le mode oral. La différenciation entre nombres et chiffres est facilitée par la considération d'écritures telles que "17", car l'écriture d'un seul nombre se fait alors à l'aide de deux chiffres. De même, la différenciation entre nombres et mots-nombres est facilitée par la considération de désignations orales comme celle de "dix-sept", car la désignation d'un seul nombre nécessite l'emploi de deux mots-nombres, dix et sept (dix-sept est le premier des nombres qui possède cette propriété car de zéro jusqu'à seize, à chaque nombre correspond un mot-nombre différent; les numérations écrites et orales ne coïncident pas).»

2. P. Dessailly (1992, p. 15) s'écarte de la conception de R. Brissiaud en disant: «Nous préférons considérer que l'expression numérique "dix-sept", composée des lexèmes "dix" et "sept" représente un seul "mot-nombre" désignant le nombre dix-sept qui lui correspond. Le mot-nombre "septante" et le mot-nombre "soixante-dix" sont deux désignations différentes d'un seul et même concept numérique.»
3. «Le problème essentiel, dans un premier temps, est de savoir comment l'enfant apprend que chiffres et mots-nombres représentent des quantités.» (R. Brissiaud, 1989, p. 24).
4. VA. Numération parlée.
   VA. Nombre.
   VA. Chiffre.
   VA. Quantité.

MULTIPLICATION (n.f.)

Opération numérique fondamentale qui a pour but, à partir de deux nombres, l'un appelé multiplicande, l'autre multiplicateur, d'en produire un troisième appelé produit.

Note:
1. VA. Opération numérique fondamentale.
   VA. Division.
   VA. Nombre.
   VA. Calcul.

NOMBRE (n.m.)

Concept abstrait s'élaborant par la synthèse d'un système d'inclusion de classes ainsi que d'un système de relations asymétriques rendant compte à la fois de son aspect cardinal et ordinal.

Notes:
1. Selon Alain Lercher, repris par P. Dessailly (1992, p. 150), «le nombre, en tant que concept, est le résultat d'une très grande "abstraction" et suppose la capacité permanente de considérer les objets que nous dénombrons dans telle ou telle situation particulière, d'un point de vue général et non dans leur particularité. On ne vise pas des objets particuliers dotés d'une couleur, d'une épaisseur, d'un poids, d'une matière donnés, mais des objets définis seulement comme éléments d'un ensemble. Si l'idée de nombre (du moins l'idée de nombre entier naturel) est universelle, elle se révèle très compliquée et très lente à acquérir par l'enfant.»
2. Pour P. Dessailly (1992, p. 150), «comme tout concept, le nombre correspond à une structuration possible mais non nécessaire des données de l'expérience. Cette dernière facilite sa construction, mais elle ne suffit pas; car le nombre ne préexiste ni à l'individu, ni aux objets. Il n'est pas donné a

priori aux sens. Il dérive essentiellement des actions et des opérations mentales exercées par le sujet sur son environnement.»

3. R. Brissiaud (1989, p. 20) évoque, pour le nombre, «deux fonctions principales:
   - ils servent à communiquer des quantités ou encore à garder la mémoire des quantités. En effet, dans la vie de tous les jours, nous communiquons de façon efficace grâce à l'emploi des mots-nombres: lorsqu'une personne demande quatre pains chez le boulanger, le commerçant et son client s'entendent sur une quantité déterminée de pains. Par ailleurs, en notant sur un morceau de papier une liste de courses, je peux, grâce à l'emploi des chiffres, garder la mémoire des quantités désirées (ce qui revient à communiquer avec moi-même dans le temps);
   - ils servent également à calculer, c'est-à-dire à mettre en relation les quantités.»
4. Pour Z.P. Dienes (1966, p. 23), «On ne se répétera jamais assez que le nombre n'est pas du tout une chose, c'est une propriété. Des nombres comme deux, trois,... n'existent pas "concrètement": ils sont des propriétés des ensembles d'éléments auxquels ils se rapportent; "deux" est la propriété de tout ensemble de deux objets.»
5. VA. Sériation.
   VA. Classification.
   VA. Cardinalité.
   VA. Ordinalité.
   VA. Inclusion.
   VA. Équivalence.
   VA. Abstraction.
   VA. Quantité.

NOMBRE CARDINAL (s.m.)

Type de nombre utilisé pour quantifier une collection.

Notes:

1. Pour C. Van Nieuwenhoven (1999, p. 105), «c'est le type de nombre que l'on utilise pour indiquer combien d'objets sont présents dans la collection que l'on a formée en plaçant un objet avec un autre et ainsi de suite. Une des caractéristiques de ce type de nombre est que c'est un moyen de classifier des ensembles».
2. Ce même auteur poursuit en disant que «dans la théorie mathématique classique, la notion de relation d'équivalence entre des ensembles, basée sur la correspondance terme à terme, est centrale à la notion de nombre cardinal.»
3. J. Piaget (1941, p. 204) définit un nombre cardinal comme étant «une classe dont les éléments sont conçus comme des unités équivalentes les unes aux autres et cependant comme distinctes, leurs différences consistant alors seulement en ceci que l'on peut les sérier, donc les ordonner.»
4. VA. Nombre.
   VA. Nombre nominal.
   VA. Nombre ordinal.
   VA. Équivalence.
   VA. Correspondance terme à terme.
   VA. Logique des classes.

NOMBRE NOMINAL (s.m.)

Type de nombre utilisé pour désigner un élément spécifique sans aucune référence à sa position dans un ensemble.

Notes: 1. Cette définition est reprise à C. Van Nieuwenhoven (1999, p. 106).
2. Elle précise que ces nombres «fonctionnent comme des noms. Ces nombres sont assignés de manière arbitraire et non pas en fonction d'une relation systématique entre eux (ex.: les numéros de téléphone, les numéros des joueurs d'une équipe de football...)»
3. VA. Nombre.
VA. Nombre cardinal.
VA. Nombre ordinal.

NOMBRE ORDINAL (s.m.)

Type de nombre utilisé pour désigner un élément individuel par sa position à l'intérieur d'un ensemble.

Notes: 1. Nous reprenons cette définition à C. Van Nieuwenhoven (1999, p. 106).
2. Elle poursuit en disant: «Ces nombres font référence à des collections à l'intérieur desquelles un ordre est présent. Par exemple, mardi est le deuxième jour de la semaine.»
3. Pour Piaget (1941, p. 204) «un nombre ordinal correspond à une série dont les termes, tout en se succédant selon les relations d'ordre que leur assignent leurs rangs respectifs, sont également des unités équivalentes les unes aux autres et par conséquent susceptibles d'être réunies cardinalement».
VA. Nombre.
VA. Nombre cardinal.
VA. Nombre nominal.
VA. Équivalence.

NON-CONSERVATION (n.f.)

Étape du processus d'acquisition de la conservation où la transformation de A en B est conçue comme modifiant toutes les données à la fois, ce qui rend impossible le retour au point de départ.

Syn. Absence de conservation.

Notes: 1. La définition ci-dessus est reprise à C. Botson et M. Deliège (1974, fiche 2).
2. VA. Logique des transformations.
VA. Conservation.

NUMÉRATION (n.f.)

Outil de calcul qui permet d'employer un système d'unités de tailles différentes (dizaines, centaines...) utilisable aussi bien dans des pratiques langagières, lors d'un comptage ou d'un calcul oral, que dans les pratiques d'écriture.

Notes: 1. C'est à R. Brissiaud (1989, p. 155) que nous devons cette définition. Pour cet auteur, «connaître la numération décimale, pour un enfant du cours préparatoire, ce n'est pas seulement savoir que pour réaliser une collection de 34 objets, on peut indifféremment les compter un à un, ou former 3 groupes de dix et compléter avec 4 objets, c'est aussi être capable d'utiliser la dizaine comme "grande unité" pour calculer une somme. Là encore les deux fonctions du nombre (la représentation des quantités et le calcul) sont très liées: la numération décimale est une aide essentielle au calcul parce qu'il est plus rapide de "totaliser des dix" que de "totaliser des uns"».

2. Pour R. Brissiaud toujours (1989, p. 155), «l'enseignement de la numération est fondamental: c'est toute la conception des grandes quantités qui est en jeu! L'enseignement traditionnel, comme l'enseignement rénové qui est issu de la réforme de 1970, reposent fréquemment sur une vision réductrice de la numération, qui n'est souvent perçue qu'à travers sa traduction écrite (l'écriture des nombres en base dix). (...) Au niveau du cours préparatoire, connaître la numération, c'est notamment savoir utiliser la "grande unité" qu'est la dizaine pour calculer une somme. Or, plutôt que de consacrer le temps nécessaire à cet apprentissage, l'école a tendance à enseigner de façon précoce l'addition en colonnes, c'est-à-dire une technique écrite où la disposition spatiale supplée une éventuelle méconnaissance de la numération.»
3. VA. Calcul.
   VA. Comptage.
   VA. Numération écrite.
   VA. Numération orale.
   VA. Nombre.
   VA. Quantité.

NUMÉRATION ÉCRITE (s.f.)

Ensemble de représentations conventionnelles régissant le codage et le décodage écrits des nombres en usant de l'écriture alphabétique ou de la notation chiffrée.

Notes:

1. Pour R. Brissiaud (1989, p. 23), «il faut commencer par distinguer deux aspects dans la représentation des quantités. S'il s'agit d'une communication écrite, par exemple, un premier aspect consiste à expliquer pourquoi, quand on dessine le chiffre "6" pour passer une commande écrite d'objets, l'interlocuteur comprend la quantité désirée, et un second, à expliquer qu'en agençant de tels chiffres, "2" et "6", sous la forme 26 ou encore 62, on puisse encore communiquer à propos de quantités plus importantes. C'est à l'étude de ce second aspect qu'on se réfère généralement quand on parle de numération écrite: il s'agit alors d'étudier la représentation écrite des quantités en tant que système d'écriture.»
2. Pour P. Dessailly (1992, p. 15), «les modes de désignation des nombres relèvent soit du "système de numération parlée" (septante), soit du "système de numération écrite" (70) reposant l'un et l'autre sur des règles spécifiques d'organisation.»
3. VA. Représentation conventionnelle.
   VA. Système alphabétique.
   VA. Nombre.
   VA. Chiffre.
   VA. Quantité.
   VA. Numération.
   VA. Numération parlée.

NUMÉRATION PARLÉE (s.f.)

Ensemble de représentations conventionnelles assurant, en production et en répétition, la transmission orale des nombres.

Syn. Numération orale.

Notes:

1. P. Dessailly (1992, p. 20) considère «le système de numération parlée comme un sous-ensemble linguistique de la langue française, structuré par des règles sémantiques et syntaxiques propres et se singularisant par des réalisations phonétiques spécifiques qui échappent à la conscience de la plupart des utilisateurs "naïfs"».
2. Pour R. Brissiaud (1989, p. 23), «une distinction doit être faite concernant la représentation des quantités sur un mode oral: un premier aspect consiste à expliquer qu'en prononçant certains mots "dix", par exemple, on arrive à communiquer de façon efficace à propos d'une quantité; le second à expliquer qu'en agençant de tels mots, "dix" et "sept", par exemple, sous la forme "dix-sept", on puisse communiquer à propos de quantités plus importantes; il s'agit alors d'étudier la représentation des quantités en tant que système oral de désignation. Cet aspect relève de l'étude de la numération orale.»
3. VA. Représentation conventionnelle.
   VA. Nombre.
   VA. Quantité.
   VA. Numération.
   VA. Numération écrite.

NUMÉROSITÉ (n.f.)

Sens perceptif de la pluralité, lié à la perception immédiate globale, qui permet à l'enfant d'évaluer, dans un choix entre deux quantités, celle qui contient un nombre supérieur d'éléments.

Notes:

1. M. Bacquet et B. Gueritte-Hess (1982, p. 27) complètent cette définition en affirmant que ce jugement de numérosité apparaît très tôt chez l'enfant. «Le jugement d'après le volume le fera se diriger vers le paquet le plus gros ou tendre la main vers le récipient qui contient le plus de grenadine. De même, lorsqu'on pose un à un des bonbons simultanément dans deux verres identiques en ajoutant de temps en temps et toujours d'un même côté, quelques bonbons supplémentaires, l'enfant ne s'y trompe pas: s'il a compris qu'il ne peut pas tout prendre, il choisira, et ceci sans que la différence en soit perceptible visuellement, celui qui en a le plus. Ce jugement de numérosité, tout en ne comportant pas encore de logique très élaborée, montre qu'il permet de discriminer, dans le temps, le verre qui a bénéficié de quelques apports supplémentaires. (...) L'évaluation de quantités presque identiques jugées en fonction de gestes exécutés dans le temps, outre l'attention qu'elle réclame, nous éclaire sur la capacité de l'enfant à déduire un jugement d'après les actions.»
2. C. Van Nieuwenhoven (1999, p. 36) entend par "numérosité": «toute quantité numérique mesurable.» Elle établit une distinction entre la quantité et la numérosité. «Le terme quantité étant davantage utilisé face à des grandeurs continues (taille, poids,...) alors que le terme numérosité se réfère plus spécifiquement à des grandeurs discrètes (taille ou cardinalité d'un ensemble d'objets).»

3. VA. Perception immédiate globale.
   VA. Comptage.
   VA. Quantité.

OPÉRATEUR MULTIPLICATIF (s.m.)

Règle conventionnelle du système de numération parlée qui préside à la fixation de l'ordre de grandeur des groupements selon le rang occupé par le chiffre qui les désigne.

Syn. Base, opérateur multiplicatif constant.

Notes:

1. P. Dessailly (1992, p. 58) affirme que «le système doit garantir une communication fiable entre utilisateurs. S'impose donc tout naturellement au bon sens la nécessité d'une règle stable, simple et partagée par tout le monde, qui confère au système toute sa fonctionnalité. Cette règle repose sur l'application répétée d'un opérateur multiplicatif constant. Examinons par exemple les quatre séquences suivantes, toutes codées dans le système décimal: Le chiffre "1" ...
   - Dans l'écriture "1", désigne une unité.
   - Dans l'écriture "10", désigne un groupement de dix fois une unité.
   - Dans l'écriture "100", désigne un groupement de dix fois dix unités.
   - Dans l'écriture "1000", désigne un groupement de dix fois cent unités.

   On constate que le chiffre "1", à chaque rang successif qu'il occupe de la droite vers la gauche, désigne un groupement comptant dix fois plus d'unités que celui de rang immédiatement inférieur désigné par le même chiffre. Et réciproquement: "1" localisé en premier rang, désignera un groupement comptant dix fois moins d'unités que le "1" localisé en second rang, et ainsi de suite.»
2. Dans notre système de numération en base 10, ce 10 est l'opérateur multiplicatif. Il faut 10 unités pour accéder à la dizaine, 10 dizaines pour atteindre la centaine,...
3. VA. Nombre.
   VA. Mot-nombre.
   VA. Numération parlée.
   VA. Numération.
   VA. Chiffre.

OPÉRATION (n.f.)

Activité numérique effectuée sur deux nombres dans l'intention d'en obtenir un troisième.

Notes:

1. A propos de l'enseignement des opérations, F. Jaulin-Mannoni (1975, p. 94) adopte une attitude très critique: «nous ne pensons pas qu'on puisse attendre grand-chose de bon de l'illusion (cependant très répandue) qui conduit à s'imaginer qu'en enseignant à l'enfant le code de l'adulte, on va lui faire du coup acquérir les opérations logiques que celui-ci exprime. Au mieux, l'enfant a déjà ces opérations et, de ce fait, accède sans peine au langage qu'on lui enseigne (mis à part les difficultés propres à ce dernier). Au pire, il ne les a pas, s'efforce alors de retenir les lois du code et, s'il y parvient, peut aller jusqu'à se bercer de l'illusion souvent entretenue par l'adulte, d'avoir compris quelque chose à ce qu'il fait.»

2. VA. Opération numérique fondamentale.
   VA. Calcul.
   VA. Opérations logiques.

OPÉRATION NUMÉRIQUE FONDAMENTALE (s.f.)

Activité numérique regroupant les actions liées à la décision d'associer des nombres d'une certaine manière afin de répondre à un certain besoin.

Syn. Opération fondamentale, opération numérique, opération mathématique, opération arithmétique.

Notes:
1. Les quatre opérations fondamentales sont: l'addition, la soustraction, la multiplication et la division.
2. VA. Activité numérique.
   VA. Opération.
   VA. Nombre.
   VA. Addition.
   VA. Division.
   VA. Multiplication.
   VA. Soustraction.
   VA. Calcul.

OPÉRATIONS COMBINATOIRES ET PROPOSITIONNELLES (s.f.pl.)

Mécanismes de construction des structures cognitives, caractéristiques du stade opératoire formel, qui servent d'instruments logiques à la compréhension et à l'explication des phénomènes.

Notes:
1. Cette définition est reprise à M.F. Legendre-Bergeron (1980, p. 19) qui précise que «le sujet parvient à envisager les causes possibles d'un phénomène grâce à l'emploi d'un raisonnement hypothético-déductif et d'une combinatoire. Il comprend donc davantage de relations causales entre les choses que le sujet de niveau concret car les opérations qu'il attribue aux objets sont plus complexes et plus élaborées. Au lieu de ne raisonner que sur les données réelles, il est capable de raisonner sur des données hypothétiques.»
2. VA. Mécanismes de construction.
   VA. Structures cognitives.
   VA. Groupe INRC.
   VA. Combinatoire.

OPÉRATIONS INFRA-LOGIQUES (s.f.pl.)

Activités portant sur le continu, c'est-à-dire la constitution de l'espace et du temps, la structuration de la permanence de l'objet ainsi que de la causalité et ne s'intéressant qu'aux propriétés mêmes de l'objet.

Syn. Activités infra-logiques.

Notes:
1. Pour M.F. Legendre-Bergeron (1980, p. 140), «Piaget distingue deux types d'opérations au niveau concret.
   - Les opérations logico-arithmétiques: elles portent sur des éléments discrets réunis en classes, sériés ou dénombrés et sont indépendantes de l'espace et du temps. C'est ainsi qu'une classe logique est indépendante de la disposition spatiale des éléments qui la constituent.

- Les opérations infra-logiques ou spatio-temporelles: elles ont la même structure que les précédentes mais portent sur des parties ou éléments d'objets continus, tels que le temps, l'espace, la vitesse, etc.

Cette distinction entre le logico-arithmétique et l'infra-logique (ou le spatio-temporel) est propre au niveau opératoire concret où, les opérations n'étant pas encore dissociées de leur contenu, il importe, selon Piaget, de différencier leurs domaines d'application. Mais elle ne subsiste pas au niveau des opérations formelles. Celles-ci ne portant pas directement sur des objets ou situations concrètes mais sur des propositions ou des signes, ceux-ci servent aussi bien à représenter des objets discrets que des parties ou éléments d'objets continus.»

2. VA. Permanence de l'objet.
   VA. Opérations logiques.
   VA. Espace.
   VA. Temps.
   VA. Causalité.

OPÉRATIONS LOGICO-MATHÉMATIQUES (s.f.pl.)

Raisonnements qui permettent d'introduire dans les objets manipulés une ou plusieurs propriétés qu'ils ne possèdent pas par eux-mêmes.

Syn. Opérations logico-arithmétiques, raisonnement logico-mathématique.

Notes:

1. Pour J.M. Dolle (1991, p. 72), «le raisonnement logico-mathématique porte sur des objets, les réunit en classes, les série ou les dénombre en ne s'occupant pas de l'objet dans sa composition interne.»
2. Pour J.M. Dolle toujours (1991, p. 69), «les opérations logico-mathématiques sont des opérations concrètes portant exclusivement sur les ressemblances (classe de relations symétriques), les différences (relations asymétriques) ou les deux à la fois (les nombres), entre objets discrets, réunis en ensembles discontinus et indépendants de leur configuration spatio-temporelle».
3. Les raisonnements logico-mathématique et infra-logique sont complémentaires.
4. VA. Opérations infra-logiques.
   VA. Logique des classes.
   VA. Sériation.
   VA. Dénombrement.
   VA. Nombre.

OPÉRATIONS LOGIQUES (s.f.pl.)

Actions intériorisées, effectuées symboliquement ou en pensée, réversibles et coordonnées en structures totales.

Notes:

1. «Du point de vue de la psychologie génétique, les opérations sont des activités par lesquelles le sujet organise en pensée et en acte la réalité concrète (il classe ou ordonne les objets de cette réalité), la transforme (en agissant sur les propriétés spatiales ou physiques de ces objets), l'explique (en attribuant à cette réalité des opérations dont les lois de composition sont similaires aux lois de regroupement de ses opérations), ou encore par lesquelles le sujet organise ou transforme les opérations précédentes au moyen desquelles il agissait sur la réalité concrète» (J. Piaget, 2001, notion: opération).

2. «Piaget distingue différentes familles d'opérations, les unes portant sur le discret, d'autres sur l'infralogique, d'autres encore sur ces deux premières familles d'opérations. Les deux premières familles constituent le domaine des opérations concrètes (elles portent sur la réalité concrète); la troisième famille porte sur le domaine des opérations formelles (formel signifiant alors ici que les contenus sur lesquels portent les opérations concrètes ne sont pas les objets sur lesquels portent les opérations de cette troisième famille, bien qu'ils puissent être, et qu'ils soient généralement, impliqués par cette activité au second degré que sont les opérations sur des opérations). Notons enfin que les opérations attribuées par le sujet à la réalité extérieure en vue d'expliquer les transformations dont elle est l'objet peuvent refléter les lois des regroupements d'opérations formelles aussi bien que celles qui concernent les opérations concrètes» (J. Piaget, 2001, notion: opération).
3. M.F. Legendre-Bergeron (1980, p. 138) précise que «les opérations sont les instruments de connaissance adaptée dont dispose la pensée représentative. Elles ont leur source dans les coordinations générales de l'action (telles que réunir, ordonner, mettre en correspondance, etc.) propres aux schèmes sensori-moteurs. Les premiers instruments de connaissance du sujet sont les actions pratiques et matérielles qu'il effectue sur les objets. Leur élaboration est liée aux progrès de l'intelligence sensori-motrice. Lorsque l'enfant passe du plan de l'action à celui de la représentation, il doit reconstruire, sur ce nouveau palier, des instruments de connaissance analogues à ceux (schèmes d'action) dont il dispose au niveau sensori-moteur: ce sont les opérations. Elles sont elles-mêmes des actions, c'est-à-dire des transformations d'objet, mais exécutées symboliquement et non plus matériellement ou pratiquement.»
4. F. Jaulin-Mannoni (1973, p. 104) insiste sur le fait qu'«une opération ne sera pas lue dans les données du monde sensible. Produit d'une construction mentale, elle sera bien le résultat d'une démarche que, faute d'un meilleur terme, nous appellerons "abstraite". Mais inversement elle ne saurait se construire, comme nous l'avons vu, autrement qu'à travers des actions, donc par une démarche qui comporte nécessairement une part concrète: un crayon et du papier sont des objets, et tracer des dessins sur ce papier, ou parler, sont des actions.»
5. VA. Réversibilité.
   VA. Logique des classes.
   VA. Logique des relations.
   VA. Logique des transformations.
   VA. Schème opératoire.

ORDINALITÉ (n.f.)

Caractéristique de la logique des relations qui témoigne de la place occupée par un nombre dans la suite des nombres.

Syn. Valeur ordinale du nombre.

Notes:
1. Les enfants rencontrent la suite ordinale des nombres grâce à différents jeux tels que: compter en frappant sur un tambourin, chanter des comptines,...
2. VA. Logique des relations.
   VA. Nombre.
   VA. Cardinalité.

ORDRE NON-VICARIANT (s.m.)

Procédure d'organisation d'un certain nombre d'objets, permettant leur comptage, déterminée par certaines qualités des objets à dénombrer.

Notes: 1. Si on a une sériation de quatre bâtonnets de hauteurs croissantes, la place (l'ordre) de chaque bâtonnet est rigoureusement déterminée.

2. VA. Comptage.
VA. Ordre vicariant.
VA. Sériation.

ORDRE VICARIANT (s.m.)

Procédure d'organisation d'un certain nombre d'objets permettant de dénombrer chacun d'entre eux une et une seule fois sans tenir compte des qualités de ces objets.

Notes: 1. Pour C. Botson et M. Deliège (1974, fiche 31, N1), pour «compter des images: on peut compter d'abord n'importe quelle image et puis ensuite n'importe quelle autre image et ainsi de suite. L'ordre peut être choisi de gauche à droite et de droite à gauche, de haut en bas ou de bas en haut. Cet ordre vicariant sert uniquement à ne pas compter deux fois la même image et à ne pas oublier de compter une image.»

2. VA. Comptage.
VA. Ordre non-vicariant.

PARTIES D'ENSEMBLE (s.f.pl.)

Forme d'activités de combinatoire dans laquelle la notion d'ordre n'a pas d'importance et où les éléments donnés peuvent soit être pris dans leur totalité, soit en partie ou encore ne pas être pris du tout.

Notes: 1. Exemple: si on met à la disposition d'un enfant 3 objets de formes différentes (Δ, ○, □) à disposer dans une boîte et si on lui signale qu'il peut les y mettre tous, choisir d'en mettre certains, ou de ne pas en mettre du tout: alors les possibilités seront au nombre de 8.

$$P(E) = 2^n$$

Possibilités	Boîte
1	Rien
2	Δ
3	□
4	○
5	Δ □
6	Δ ○
7	□ ○
8	Δ □ ○

2. VA. Combinatoire.
VA. Arrangements.
VA. Combinaisons.
VA. Permutations.

PENSÉE OPÉRATOIRE CONCRÈTE (s.f.)

Stade de construction des structures cognitives au cours duquel apparaît la capacité de structurer d'emblée, de façon adéquate, les données d'un problème ou d'une situation, grâce à l'emploi d'opérations.

Syn. Pensée concrète.

Notes: 1. «La pensée concrète se distingue de la pensée formelle, d'une part par la nature de l'objet sur lequel elle porte, ainsi que par l'attitude adoptée par le sujet relativement au statut de cet objet, et d'autre part par la nature des opérations utilisées pour la traiter, les deux allant de pair. La pensée concrète a pour objet une réalité sensible pouvant être perçue ou représentée. Cette réalité est soit la réalité usuelle, soit une réalité alternative (l'univers du jeu par exemple), mais que le sujet considère comme pouvant se substituer provisoirement à la première. Cette réalité étant "donnée", le sujet l'organise alors, ou la transforme peu à peu, au moyen des opérations ou des préopérations dont il dispose et qu'il construit progressivement au cours même de ce processus d'organisation et de transformation (opérations de classification, etc.). Quant aux opérations ainsi utilisées, elles ont précisément pour particularité de porter directement sur cette réalité sensible, représentée aussi bien que perçue» (J. Piaget, 2001, notion: pensée concrète).

2. VA. Structures cognitives.
VA. Stades de construction.
VA. Régulations opératoires.
VA. Schème opératoire.

PENSÉE OPÉRATOIRE FORMELLE (s.f.)

Stade de construction des structures cognitives qui se caractérise par l'équilibre terminal des opérations, résultat de la structuration progressive des actions et opérations de l'intelligence.

Syn. Pensée formelle.

Notes: 1. La pensée formelle constitue, pour Piaget, un prolongement et un dépassement de la pensée concrète et caractérise les modes de raisonnement propres à l'adolescent et à l'adulte.

2. «La pensée formelle se caractérise d'abord, généralement, par une sorte de mise entre parenthèses, ou d'abstraction, de la réalité sensible ou imaginée qui intervient forcément dans toute pensée (ne serait-ce que sous la forme de ces signifiants arbitraires que sont les mots, ou les signes logiques et mathématiques). En pareil cas, bien que la pensée formelle puisse inclure des considérations sur une réalité sensible, perçue ou imaginée, ce par quoi elle est intéressée n'est pas cette réalité, mais le statut formel (logique ou mathématique) de ces considérations. Mais cette pensée se caractérise surtout par la nature des opérations engagées et la nature des objets sur lesquelles elles portent. Les opérations mises en œuvre par la pensée formelle ont pour particularité de porter, non pas principalement sur une réalité sensible, mais sur les opérations par lesquelles la pensée concrète organise cette dernière, et qui peuvent se refléter dans les propositions par lesquelles le sujet décrit son objet. C'est par exemple le cas lorsque le sujet s'intéresse avant tout aux considérations faites par rapport à une certaine réalité. Ces considérations sont construites au moyen d'opérations concrètes (classer, etc.). En examinant ces considérations, le sujet se livre ainsi à des opérations sur une réalité

elle-même composée d'opérations» (J. Piaget, 2001, notion: pensée formelle).
3. VA. Structures cognitives.
VA. Stades de construction.
VA. Opérations combinatoires et propositionnelles.
VA. Groupe INRC.
VA. Pensée opératoire concrète.
VA. Opérations logiques.

PENSÉE PRÉ-OPÉRATOIRE (s.f.)

Stade de construction des structures cognitives au cours duquel l'enfant raisonne en s'appuyant sur les états ou configurations qu'il perçoit, sans être en mesure de comprendre les transformations permettant de les relier.

Notes: 1. «Dans un sens large et peu précis du terme, "pré-opératoire" se dit de la pensée de l'enfant qui n'a pas encore atteint le stade des opérations concrètes. De façon un peu plus précise et théoriquement plus intéressante, ce terme s'applique aux conduites et aux notions que l'on peut constater chez un enfant en train de construire un système particulier d'opérations qui, une fois achevé, apparaîtra comme un groupement ou un groupe d'opérations répondant aux caractéristiques de la pensée opératoire» (J. Piaget, 2001, notion: pré-opératoire).
2. VA. Structures cognitives.
VA. Stades de construction.
VA. Pensée opératoire concrète.
VA. Régulations intuitives.
VA. Schème intuitif.
VA. Opérations logiques.
VA. Groupement.

PENSÉE SYMBOLIQUE (s.f.)

Stade de construction des structures cognitives qui correspond à la première forme d'intelligence représentative et qui est caractérisé par l'apparition du langage et de la fonction de représentation.

Syn. Pensée préconceptuelle.

Notes: 1. Pour M.F. Legendre-Bergeron (1980, p 157), «la pensée symbolique succède à l'intelligence sensori-motrice et comme cette dernière, à ses débuts, elle présente un caractère fortement égocentrique. En effet, si la représentation naissante permet à l'enfant d'évoquer son vécu et d'anticiper certaines situations, sa pensée demeure centrée sur ses expériences subjectives et son point de vue propre. Tout comme l'activité sensori-motrice du nourrisson, à ses débuts, se confond avec les objets du milieu extérieur sur lesquels elle s'exerce, la pensée naissante confond, au niveau de ses représentations, les aspects subjectifs et les aspects objectifs de la réalité. L'enfant de cet âge ne dispose pas encore des outils intellectuels (les opérations) qui sont indispensables pour s'adapter à la réalité objective.»
2. «Contrairement à la pensée logique, qui conçoit ses objets au moyen de concepts obéissant aux règles logiques assurant la non-contradiction, la pensée symbolique se représente les siens au moyen de symboles individuels ou sociaux qui autorisent des glissements de sens pouvant défier toute logique

réglant la permanence des croyances, des jugements ou des raisonnements» (J. Piaget, 2001, notion: pensée symbolique).
3. VA. Structures cognitives.
VA. Stades de construction.
VA. Pensée pré-opératoire.
VA. Pensée opératoire concrète.
VA. Intelligence sensori-motrice.

PERCEPTION GLOBALE DE PETITES QUANTITÉS (s.f.)

Technique immédiate de quantification permettant de donner précisément le cardinal d'une collection indépendamment de tout comptage.

Syn. Subitizing.

Notes: 1. R. Brissiaud (1989, p. 33) précise que «vers 4 ans 1/2, quand on présente des collections de 1, 2 ou 3 objets à des enfants, ils sont très souvent capables de prononcer le mot-nombre correspondant sans compter les objets. C'est à ce phénomène qu'on pense généralement quand on parle de perception globale de petites quantités. Tout se passe comme si les enfants "voyaient" la quantité et étaient capables de lui donner son nom directement, indépendamment de tout comptage.»
2. Le subitizing est un opérateur de quantification qui permet une appréhension quasi instantanée des petites quantités et qui donne la preuve qu'il n'y a pas de comptage. Les objets sont disposés de façon telle qu'on peut en avoir une représentation globale. Cela ne suffit pourtant pas pour dire que l'enfant a acquis le cardinal de ce nombre.
3. L'usage de constellations (configurations de points comme sur un dé ou un domino) facilite la perception globale.
4. VA. Comptage.
VA. Cardinalité.
VA. Mot-Nombre.
VA. Constellation.
VA. Quantité.

PERCEPTION IMMÉDIATE GLOBALE (s.f.)

Technique de quantification rapide mais imprécise utilisée pour les collections de plus de six éléments.

Syn. Évaluation immédiate globale, estimation, approximation.

Note: 1. VA. Collection.
VA. Comptage.

PERMANENCE DE L'OBJET (s.f.)

Étape précoce du processus d'acquisition de la conservation qui consiste, pour l'enfant, à croire à l'existence de l'objet même lorsqu'il sort de son champ visuel.

Notes: 1. Cette étape apparaît au stade sensori-moteur et fait suite à la période, souvent appelée «angoisse des 8 mois».
2. «Dépendante de la construction par le sujet des catégories d'espace et de temps, la permanence de l'objet est une propriété attribuée par le sujet à un objet dont il postule une existence dans le temps et dans l'espace, indépendante

de la perception ou de la conception qu'il peut avoir de cet objet. L'objet permanent est le premier invariant d'un groupe construit par l'enfant (et plus précisément d'un groupement), à savoir celui des déplacements que le bébé de dix-huit mois environ réalise dans son espace proche, ou qu'il fait accomplir aux objets de cet espace. Étudiée par Piaget dans ses recherches sur la naissance de l'intelligence sensori-motrice, cette notion est essentielle au fonctionnement de la pensée. Si les êtres considérés par celle-ci s'anéantissaient et resurgissaient sans cesse, de manière totalement désordonnée, nous serions, dans notre rapport au monde, ballottés d'une expérience à l'autre, sans aucune possibilité d'anticiper ce qui va se produire après telle transformation ou tel déplacement» (J. Piaget, 2001, notion: objet permanent).

3. VA. Logique des transformations.
   VA. Conservation.
   VA. Groupement.
   VA. Intelligence sensori-motrice.
   VA. Anticipation.

PERMUTATIONS (n.f.pl.)

Forme d'activités de combinatoire dans laquelle tous les éléments donnés doivent être pris en compte tout en faisant intervenir la notion d'ordre.

Notes:

1. Exemple d'un problème de permutations: soit un nombre «x» d'éléments; je dois tous les prendre successivement; combien de possibilités différentes y a-t-il? La formule est: «n!» (factorielle). Si on demande à un enfant de faire tous les drapeaux possibles avec trois cartons de couleurs (rouge, vert, bleu), la succession de tous les possibles sera: RVB – RBV – VRB – VBR – BRV – BVR. Il y aura donc 6 possibilités (n!) (3! = 1x2x3).
2. La capacité de permutation peut donner un éclairage sur la mobilité de pensée de l'enfant et ses possibilités d'organisation. Il est toujours intéressant de demander à l'enfant combien il pense qu'il y aura de possibilités, ce qui l'oblige de penser avant d'agir.
3. VA. Combinatoire.
   VA. Arrangements.
   VA. Combinaisons.
   VA. Parties d'ensemble.

PROCÉDÉ ASCENDANT (s.m.)

Caractéristique de la logique des classes qui permet de concevoir qu'une classe particulière est incluse dans une série de classes de plus en plus étendue.

Notes:

1. Pour J. Piaget (1964, p. 35), «c'est par les procédés ascendants et descendants que l'enfant pourra comparer des classes hiérarchiques entre elles.»
2. VA. Logique des classes.
   VA. Inclusion.
   VA. Classe emboîtante.
   VA. Classe emboîtée.
   VA. Procédé descendant.

PROCÉDÉ DESCENDANT(s.m.)

Caractéristique de la logique des classes qui permet de concevoir qu'une classe peut être subdivisée en une série de classes de plus en plus restreintes.

Note: 1. VA. Logique des classes.
VA. Inclusion.
VA. Classe emboîtante.
VA. Classe emboîtée.
VA. Procédé ascendant.

PROCESSUS DE CONSTRUCTION (s.m.pl.)

Ajustements progressifs des conduites en fonction de leurs interactions adaptatives avec le milieu.

Notes: 1. Cette définition est donnée par M.F. Legendre-Bergeron (1980, p. 11). Pour elle, «le développement de l'intelligence et des connaissances est lié à une interaction adaptative continuelle entre le sujet et les objets. Cette interaction, qui se manifeste par l'alternance des processus d'assimilation (action du sujet sur les choses) et d'accommodation (action du milieu sur les schèmes), conduit à un ajustement progressif des conduites du sujet, en fonction de leurs applications antérieures à l'objet. En d'autres termes, le sujet est amené à modifier peu à peu ses conduites en les exerçant.»
2. VA. Mécanismes de construction.
VA. Structures cognitives.
VA. Assimilation.
VA. Accommodation.
VA. Équilibration.
VA. Schème.

PSEUDO-CONSERVATION PAR IDENTITÉ SIMPLE (s.f.)

Étape dans l'acquisition de la conservation où la perception domine, ne permettant aucune capacité de raisonner sur la transformation elle-même.

Notes: 1. Pour C. Botson et M. Deliège (1974, fiche 2), «l'argument-type que donne l'enfant est: "c'est la même chose parce qu'on n'a rien enlevé ni rien ajouté". Ce principe devrait être suffisant pour que l'enfant puisse affirmer la conservation en dépit de toute transformation. Il y a opposition entre l'"idée" de conservation que l'enfant possède a priori et la conviction qu'entraîne la modification d'aspect de l'objet.»
2. Ce stade ne se rencontre pas forcément chez tous les enfants: certains passent directement de la non-conservation au stade de l'identité par renversabilité.
3. VA. Conservation.
VA. Non-conservation.
VA. Renversabilité.

QUANTIFICATEUR (n.m.)

Élément lexical utilisé pour évaluer l'étendue d'une classe.

Notes:
1. Pour M. Bacquet et B. Gueritte-Hess (1982, p. 34), «on appelle quantificateurs (au sens piagétien) des articles ou adjectifs ou pronoms indéfinis qui jouent un rôle dans la connaissance logico-mathématique des ensembles. Sans construire directement le nombre, ils interviennent dans la compréhension de l'inclusion de classes, puisqu'il s'agit de "un, plusieurs, quelques-uns, tous"... Indéfinis, ils le sont et par là même ils obligent l'enfant à considérer, d'une part, les éléments comme interchangeables, d'autre part un sous-ensemble comme étant une partie du tout. Exemple: "Tu ranges une voiture rouge, tu ranges toutes les Renault,"...»
2. VA. Logique des classes.
   VA. Opérations logico-mathématiques.
   VA. Nombre.
   VA. Inclusion.
   VA. Procédé ascendant.
   VA. Procédé descendant.

QUANTIFICATEUR EXTENSIF (s.m.)

Type de quantificateur qui porte sur les rapports des parties entre elles.

Notes:
1. C. Botson et M. Deliège (1974, fiche 7), à qui nous devons cette définition, la précisent par un exemple: «si quelques carrés rouges (A) et quelques carrés bleus (A') sont tous les carrés (B), et que les quelques carrés rouges (A) sont presque tous les carrés (B), alors on peut en conclure qu'il y a plus de carrés rouges (A) que de carrés bleus (A').»
2. VA. Quantificateur.
   VA. Quantificateur intensif.
   VA. Quantificateur numérique.

QUANTIFICATEUR INTENSIF (s.m.)

Type de quantificateur qui porte sur les rapports entre les parties et le tout.

Notes:
1. Cette définition est reprise à C. Botson et M. Deliège (1974, fiche 7) qui l'illustrent par un exemple: «si quelques carrés rouges (A) et quelques carrés bleus (A') sont tous les carrés (B), alors quelques carrés rouges (A) sont moins que tous les carrés (B), et quelques carrés bleus (A') sont moins que tous les carrés (B).»
2. VA. Quantificateur.
   VA. Quantificateur extensif.
   VA. Quantificateur numérique.

QUANTIFICATEUR NUMÉRIQUE (s.m.)

Type de quantificateur qui évalue par un nombre l'étendue d'une classe.

Notes:
1. Exemple: 6 carrés rouges et 2 carrés bleus font 8 carrés.
2. VA. Quantificateur.
   VA. Quantificateur extensif.
   VA. Quantificateur intensif.

QUANTITÉ (n.f.)

Mesure de l'extension des collections.

Notes:
1. Cette définition est reprise à R. Brissiaud (1989, p. 162) qui précise «qu'un enfant possède une première conception des quantités dès qu'il dispose d'un système symbolique qui lui permet de communiquer concernant l'extension des collections» (p. 166). «Il convient sur ce sujet, de faire le parallèle avec l'acquisition du langage: de même que la langue est un système symbolique qui s'acquiert en tant qu'instrument de régulation dans l'interaction sociale, la conception des quantités est un système symbolique qui s'acquiert en tant qu'instrument de communication.»
2. Toujours pour R. Brissiaud (1989, p. 172), «un enfant qui sait utiliser un système symbolique tel que les configurations de doigts, pour communiquer avec son entourage, possède déjà une première conception des quantités. Cette définition est très différente de celle de Piaget, pour qui la quantité est une notion tardive, qui résulte de l'intériorisation d'actions et de la coordination de ces actions intériorisées. Fondamentalement, cette différence de définition résulte de conceptions du progrès qui n'accordent pas le même statut aux représentations symboliques et donc à la communication avec les adultes (parents, enseignants). On pense, au contraire, que c'est en communiquant avec les adultes que l'enfant est amené à concevoir les quantités. Telle qu'elle est définie ici, la quantité est un système symbolique qui s'acquiert en tant qu'instrument de communication.»
3. VA. Extension.
   VA. Collection.
   VA. Configuration de doigts.

QUANTITÉ CONTINUE (s.f.)

Forme de quantité se rapportant essentiellement aux conservations physiques, qui ne permet pas d'isoler les éléments afin de les dénombrer.

Notes:
1. Pour pouvoir compter les quantités continues, il faut au préalable les avoir scindées, en avoir fait des parts. Elles conduisent au concept de mesure.
2. Les quantités continues concernent par exemple le poids, la longueur, la capacité, l'espace ou le temps.
3. VA. Conservation.
   VA. Quantité discontinue.

QUANTITÉ DISCONTINUE (s.f.)

Forme de quantité se rapportant essentiellement aux conservations numériques et donc aux éléments décomposables ou quantifiables numériquement.

Syn. Quantité discrète.

Notes:
1. Pour J. Piaget (1964, p. 43), «on parle de quantités discontinues lorsque l'enfant parvient à la fois à les évaluer globalement lorsque les éléments sont accumulés ou à les dénombrer lorsqu'ils sont dissociés.»
2. Contrairement aux quantités continues, les quantités discontinues sont déjà scindées et peuvent donc être directement dénombrées grâce à un code qu'on appelle la numération.

3. VA. Conservation.
VA. Quantité continue.
VA. Conservation numérique.
VA. Numération.

QUOTITÉ (n.f.)

Stade intermédiaire entre la correspondance terme à terme et la conservation de la quantité au cours duquel le nombre compté se conserve et non la quantité qu'il représente.

Notes:

1. D'après Gréco (Gréco et Morf, 1962, p. 67), cette conservation de la quotité serait issue du comptage: «l'aspect sérial inhérent à l'action même du dénombrement a ici pour fonction et pour effet de déterminer des classes d'équivalence numériques, dès avant que la pensée opératoire concrète n'ait constitué son système d'invariants quantitatifs. Il nous faut donc attribuer à la notion de quotité un certain statut cardinal, quasi numérique et non pas pseudo-numérique (...) étant bien entendu qu'il manque encore (...) le système des emboîtements qui fondera la coordination opératoire proprement dite.»
2. M. Bacquet et B. Gueritte-Hess (1982, p. 87) étudient ces conduites paradoxales, où l'enfant affirme simultanément la conservation et la non-conservation, la permanence et le changement. La séquence suivante décrit concrètement ces conduites:

   «Dans la main droite, on met un paquet de 10 allumettes réunies par un élastique.
   Dans la main gauche, une à une, en les comptant, on met 10 allumettes qu'on laisse en vrac.
   Rééd. – Qu'est-ce qu'il y a dans ma main là?
   Enfant – Un paquet.
   R. – Et dans ma main là?
   E. – 10 allumettes.
   R. – Qu'est-ce qui est le plus? 1 paquet ou 10 allumettes?
   E. – 1 paquet.
   On enlève l'élastique du paquet qui est dans la main droite; on recompte avec lui les allumettes.
   R. – Combien il y en a?
   E. – 10
   R. – Et là?
   E. – 10
   R. – Quel est le plus? 10 ou 10?
   E. – C'est pareil.
   On remet l'élastique autour des allumettes qu'on tient dans la main gauche, et on repose la question:
   R. – Où il y a le plus?
   E. – Ici (en montrant la main droite).
   R. – Pourquoi?
   E. – Parce qu'il y en a 10.
   Cette séquence, qui pourrait sembler aberrante, est très fréquente à ce stade.»
3. VA. Correspondance terme à terme.
   VA. Quantité.
   VA. Conservation numérique.

VA. Nombre.
VA. Dénombrement.
VA. Cardinalité.

RÉGULATIONS INTUITIVES (s.f.pl.)

Mécanismes de construction des structures cognitives, qui conduisent peu à peu l'enfant à l'opération, grâce à une décentration progressive de la pensée.

Notes: 1. Pour M.F. Legendre-Bergeron (1980, p. 149), «la pensée intuitive consiste à appréhender un phénomène ou une situation sous une forme qui demeure globale et peu différenciée. Elle se manifeste par des centrations successives sur des configurations ou états particuliers de l'objet qu'elle ne parvient pas à relier entre eux par des transformations, faute d'opérations logiques. Elle reste donc limitée par le cadre de la perception, c'est-à-dire par les images ou configurations actuelles de l'objet ou de la situation. Si la perception des données est en gros exacte, elle donne lieu à des constructions intellectuelles incomplètes, car le sujet ne dispose pas encore d'opérations réversibles lui permettant d'envisager simultanément les états successivement centrés.»

2. VA. Mécanismes de construction.
VA. Structures cognitives.
VA. Centration.
VA. Décentration.
VA. Réversibilité.
VA. Renversabilité.
VA. Schème.
VA. Pensée opératoire concrète.
VA. Opérations logiques.

RÉGULATIONS OPÉRATOIRES (s.f.pl.)

Mécanismes de construction des structures cognitives qui permettent une modification progressive du raisonnement en fonction des modifications de l'expérience.

Notes: 1. Cette définition est reprise à M.F. Legendre-Bergeron (1980, p. 153).

2. Ces régulations opératoires sont caractéristiques du stade des opérations concrètes. Elles aboutissent à la réversibilité, propre à ce stade.

3. VA. Mécanismes de construction.
VA. Structures cognitives.
VA. Réversibilité.
VA. Équilibration.
VA. Pensée opératoire concrète.
VA. Schème opératoire.
VA. Opérations logiques.

RÉGULATIONS SENSORI-MOTRICES ET PERCEPTIVES (s.f.pl.)

Mécanismes de construction des structures cognitives qui permettent une modification progressive de l'action en fonction des résultats de leur application antérieure à l'objet.

Notes: 1. Cette définition est reprise à M.F. Legendre-Bergeron (1980, p. 70).
2. Pour cet auteur (1980, p. 11), «à un premier niveau (activité pratique) le progrès des régulations, c'est-à-dire l'ajustement progressif des conduites, mène à l'élaboration d'une logique de l'action. (...) Ainsi, le jeune bébé qui exerce ses schèmes réflexes n'est conscient ni de lui-même, ni du monde extérieur. Il ne connaît pas son pouvoir d'action sur les choses. Son activité, d'abord purement réflexe, obéit à des besoins internes. Toutefois, il va peu à peu modifier ses conduites en les exerçant, grâce à l'intervention de régulations qui auront pour effet d'ajuster les conduites du sujet en fonction de leurs applications antérieures à l'objet. Les régulations au niveau de l'action sont représentées par les réactions circulaires (primaires, secondaires et tertiaires) qui donnent lieu au développement et à l'apprentissage de nouvelles conduites.»
3. VA. Mécanismes de construction.
VA. Structures cognitives.
VA. Schème sensori-moteur.
VA. Intelligence sensori-motrice.

RELATION DE RESSEMBLANCE (s.f.)

Caractéristique de la logique des classes qui désigne la qualité commune aux membres d'une classe.

Notes: 1. Soit la classe des «enfants» divisée en deux sous-groupes: les «filles» et les «garçons». Ces filles et ces garçons présentent une relation de ressemblance en tant qu'«enfant».
2. VA. Logique des classes.
VA. Compréhension.
VA. Inclusion.

RELATIVITÉ (n.f.)

Caractéristique de la logique des relations qui permet de situer les éléments sériés les uns par rapport aux autres.

Note: 1. VA. Logique des relations.
VA. Sériation.

RENVERSABILITÉ (n.f.)

Régulation intuitive qui permet à la pensée d'envisager un retour au point de départ à titre de nouvelle action distincte de la première et non pas impliquée par elle.

Notes: 1. M.F. Legendre-Bergeron (1980, p. 189) dit que «Piaget distingue la renversabilité, simple retour empirique au point de départ, sans conservation nécessaire, de la réversibilité opératoire qui s'accompagne d'un sentiment de nécessité logique lié à la conscience de la transformation reliant entre eux les résultats successifs (boule, boulettes puis à nouveau boule).»
2. La renversabilité désigne l'expression sensori-motrice de la réversibilité.
3. «La renversabilité est une étape vers l'acquisition de la réversibilité d'une certaine action ou opération, logique ou mathématique. Elle se caractérise par le fait que, si l'enfant sait que la réalisation d'une certaine action ou préopération permettra de retrouver l'état antérieur d'un système, dont l'état

actuel résulte d'une première action, il ne la considère pas encore pour autant comme l'inverse (ou la réciproque), au sens mathématique, de cette première action ou préopération. Le passage de la renversabilité à la réversibilité se traduit par l'apparition d'un jugement de conservation exprimant précisément le fait que, dès lors, le sujet conçoit la deuxième action comme l'inverse (ou la réciproque) de la première, et non pas seulement comme permettant de retrouver l'état antérieur du système. Cette acquisition résulte d'un processus d'équilibration au terme duquel les actions ou opérations sont regroupées et conçues en fonction de leur commune appartenance à une catégorie épistémique (le nombre, le temps, l'espace, etc.)» (J. Piaget, 2001, notion: renversabilité).

4. VA. Réversibilité.
   VA. Régulations intuitives.
   VA. Pensée pré-opératoire.
   VA. Équilibration.

REPRÉSENTATION ANALOGIQUE (s.f.)

Symbolisation d'une quantité par une collection-témoin.

Notes:
1. Pour R. Brissiaud (1989, p. 27), «quand une quantité est représentée par une collection-témoin, elle est représentée sous une forme très similaire à celle sous laquelle elle a été perçue: quatre moutons sont représentés par quatre cailloux, quatre entailles sur une écorce ou encore quatre doigts levés. C'est ainsi qu'on pourrait dire de la représentation d'une quantité par une collection-témoin qu'elle est une représentation analogique de cette quantité.»
2. VA. Collection-témoin.
   VA. Quantité.
   VA. Correspondance terme à terme.

REPRÉSENTATION CONVENTIONNELLE (s.f.)

Symbolisation d'une quantité par un mot-nombre ou par un chiffre.

Syn. Représentation numérique.

Notes:
1. Pour R. Brissiaud (1989, p. 27), «en ce qui concerne les représentations numériques, une pluralité est représentée par un signe unique: une pluralité de moutons, par exemple, est représentée par un seul mot-nombre, par un seul chiffre,... Et ce signe unique, par exemple "5" ou encore "V" représente la quantité sous une forme apparemment arbitraire. Il s'agit dans ce cas d'une représentation conventionnelle de la quantité.»
2. Toujours pour cet auteur (p. 24), la représentation analogique et la représentation conventionnelle sont deux moyens de représenter les quantités. «Dans les deux cas, le principe de base est la correspondance terme à terme. En effet, si dans le cas de la collection-témoin cette correspondance terme à terme se fait avec des cailloux, des traits gravés sur un support, ou des doigts successivement levés, en cas de représentation numérique, ce sont les mots-nombres (lors d'un comptage oral), ou les chiffres (lors d'un numérotage écrit) qui doivent être mis en correspondance terme à terme avec les unités de la quantité à représenter. (...) (p. 26) Le principe de base est toujours la correspondance terme à terme. En revanche, la façon dont la quantité est finalement représentée varie:
   a. dans un cas, la quantité est représentée par l'ensemble des éléments mis en correspondance terme à terme: ils constituent ce qu'on a appelé une collection-témoin;

b. dans l'autre, la quantité est représentée par le dernier élément mis en correspondance terme à terme: ce sont les repésentations numériques.»

3. VA. Quantité.
VA. Mot-nombre.
VA. Chiffre.
VA. Représentation analogique.
VA. Correspondance terme à terme.
VA. Collection-témoin.
VA. Comptage.

RÉTROACTION (n.f.)

Forme de décentration qui consiste à comparer et donc à relier les centrations actuelles avec les centrations antérieures en permettant ainsi d'assimiler le passé au présent et réciproquement.

Syn. Régulations rétroactives, mobilité rétroactive.

Notes:
1. Cette définition est reprise à M.F. Legendre-Bergeron (1980, p. 182).
2. C. Botson et M. Deliège (1974, fiche 8) parlent de la rétroaction en ces termes: «Pour pouvoir imaginer des projets différents, il faut pouvoir en pensée défaire et refaire autrement. La rétroaction est la capacité de revenir au point de départ d'une organisation accomplie. C'est en combinant mobilité anticipatrice et rétroactive que l'enfant peut choisir entre plusieurs objets possibles. Lors de la manipulation effective des éléments, il réalisera alors, sans tâtonnements extérieurs, la classification la plus adéquate. La combinaison de ces deux formes de mobilité sera caractéristique du stade opératoire atteint dans ce cas vers 9-10 ans.»
3. VA. Anticipation.
VA. Centration.
VA. Décentration.
VA. Classification opératoire.

RÉVERSIBILITÉ (n.f.)

Régulation opératoire qui permet à la pensée de mentaliser les opérations sous formes d'inversions et de réciprocités, tout en ayant conscience qu'il s'agit de la même action.

Syn. Réversibilité logique ou opératoire, réversibilité vraie, réversibilité par réciprocité.

Notes:
1. Cette définition est proposée par M.F. Legendre-Bergeron (1980, p. 213).
2. Le même auteur (1980, p. 188) reprend les propos de Piaget qui «définit la réversibilité par la capacité d'exécuter une action dans les deux sens de parcours, en ayant conscience qu'il s'agit de la même action. Sa constitution résulte de l'ajustement réciproque de l'assimilation et de l'accommodation représentatives, c'est-à-dire de leur mise en équilibre progressive. L'apparition de la réversibilité et celle de l'opération sont entièrement solidaires puisque la réversibilité se définit par l'inversion d'une opération directe en opération inverse, et l'opération, par une action devenue réversible. La réversibilité est propre à l'activité représentative.»
3. Piaget, toujours repris par M.F. Legendre-Bergeron (1980, p. 189), «distingue deux formes de réversibilité: l'une par inversion; l'autre par réciprocité. Ces deux formes de réversibilité qui caractérisent respectivement les groupements de classes et de relations se trouvent réunies dans la structure

de groupe INRC propre au niveau opératoire formel, sous la forme d'un système de double réversibilité.»

4. Pour F. Jaulin-Mannoni (1975, p. 35), «c'est la réversibilité et non la renversabilité qui rendra possible ce progrès considérable que constitue le stade des opérations concrètes. Et si la renversabilité constitue déjà un pas franchi sur le temps (car celui-ci tel qu'il se donne ne saurait comporter de retours en arrière) la réversibilité qui tient compte des chemins parcourus et les articule entre eux constitue un progrès considérable dans la maîtrise de celui-ci.»
5. Pour C. Botson et M. Deliège (1974, fiche 7), «la réversibilité permet de dérouler mentalement très rapidement les procédés ascendants et descendants. Pour une classe particulière les deux types d'emboîtements sont simultanément présents à l'esprit.»
6. VA. Régulations opératoires.
   VA. Assimilation.
   VA. Accommodation.
   VA. Logique des classes.
   VA. Logique des relations.
   VA. Groupe INRC.
   VA. Renversabilité.
   VA. Procédé ascendant.
   VA. Procédé descendant.
   VA. Décentration.
   VA. Opérations logiques.
   VA. Pensée opératoire concrète.

SCHÈME (n.m.)

Processus de construction des structures cognitives qui aboutit à l'organisation des actions, les rendant transposables, généralisables ou différenciables d'une situation à la suivante.

Notes:

1. Le schème, en tant que structure d'une action, se caractérise plus particulièrement par le fait qu'il se conserve au cours de ses répétitions, qu'il se consolide par l'exercice et qu'il tend à se généraliser au contact du milieu, donnant ainsi lieu à des différenciations et à des coordinations variées. D'où l'apparition de nouvelles conduites qui s'élaborent à partir des schèmes initiaux et de leurs interactions adaptatives avec le milieu.
2. Pour J. Montangero et D. Maurice-Naville (1994, p. 203), «la notion de schème renvoie à des unités de comportement. Le schème est un organisateur de la conduite cognitive et revient à ce qui est généralisable dans une activité. Il est un instrument d'assimilation et a pour fonction de rendre connaissables les données de l'expérience. (...) Le concept de schème est indissolublement lié à un autre concept fondamental de la pensée piagétienne, celui d'adaptation. Le schème désigne la forme de connaissance qui assimile les données de la réalité et qui est susceptible de se modifier par accommodation à cette réalité.»
3. VA. Processus de construction.
   VA. Structures cognitives.
   VA. Assimilation.
   VA. Accommodation.
   VA. Schème sensori-moteur.
   VA. Schème verbal.

VA. Schème intuitif.
VA. Schème opératoire.
VA. Schème formel.

SCHÈME FORMEL (s.m.)

Type de schème, de nature logico-mathématique, auquel on recourt pour structurer la réalité ou les données d'un problème.

Notes: 1. Pour M.F. Legendre-Bergeron (1980, p. 197), «ces schèmes représentent donc les raisonnements formels des sujets, c'est-à-dire la nature des mises en relation opératoires qu'ils sont capables d'effectuer. Leur utilisation implicite ou explicite par le sujet est, pour Piaget, l'une des principales manifestations de la pensée formelle. En effet, avant ce niveau, les sujets sont incapables d'effectuer ce genre de raisonnements car ceux-ci nécessitent l'emploi d'opérations propositionnelles engendrées par la combinatoire inhérente à la construction de l'"ensemble des parties" propre au niveau formel.»

2. VA. Schème.
VA. Opérations combinatoires et propositionnelles.
VA. Combinatoire.
VA. Pensée opératoire formelle.

SCHÈME INTUITIF (s.m.)

Type de schème constitué par des raisonnements d'apparence opératoire, mais liés à une configuration perceptive donnée.

Notes: 1. Pour illustrer cette définition, J. Montangero et D. Maurice-Naville (1994, p. 202) donnent l'exemple suivant: «Pour établir une équivalence entre deux collections de perles, le sujet doit pouvoir constater visuellement qu'elles se correspondent élément par élément. A ce niveau, l'image du schème est nécessaire à l'existence du schème.»

2. VA. Schème.
VA. Pensée pré-opératoire.
VA. Équivalence.

SCHÈME OPÉRATOIRE (s.m.)

Type de schème formé d'un ensemble d'opérations interreliées et interdépendantes qui présentent la caractéristique essentielle d'être réversibles.

Notes: 1. M.F. Legendre-Bergeron (1980, p. 195) complète cette définition en disant que la constitution des schèmes opératoires «est liée à la différenciation et à la coordination des activités représentatives effectuées par le sujet sur les objets. Elle résulte d'une décentration progressive de la pensée, initialement centrée sur un état momentané de l'objet ou sur un point de vue particulier du sujet.»

2. «Sortes d'organes d'assimilation et de transformation d'une réalité présente ou représentée, les schèmes opératoires sont composés d'un savoir-faire et d'un savoir lié à la construction des structures opératoires. Les recherches réalisées sur l'apprentissage opératoire suggèrent de quelle façon ils résultent de la coordination d'un certain nombre de schèmes antérieurement

acquis. Par exemple, le schème opératoire de la sériation des longueurs est le produit de la coordination de schèmes empiriques au cours de laquelle le sujet ordonne des objets selon leur longueur, en utilisant des procédés comme le transport perceptif aboutissant à des sériations incomplètes. Au terme de leur coordination, les préopérations (ou les opérations concrètes pour la construction de schèmes opératoires formels) et les notions propres aux schèmes initiaux se regroupent de façon à former un schème stable, composé d'un procédé opératoire abstrait et de savoirs généraux sur la façon dont les opérations liées à ce procédé s'associent les unes aux autres. Dans l'exemple de la sériation des longueurs, le procédé opératoire généralement construit par les enfants consiste à trouver le plus grand des objets restants, et le savoir qui donne sens à ce procédé réside dans la conscience du lien entre les opérations d'addition et de soustraction des différences de longueur» (J. Piaget, 2001, notion: schème opératoire).

3. VA. Schème.
   VA. Opérations logiques.
   VA. Réversibilité.
   VA. Centration.
   VA. Décentration.
   VA. Assimilation.
   VA. Pensée opératoire concrète.

SCHÈME SENSORI-MOTEUR (s.m.)

Type de schème qui implique une structure (ou un programme) d'organisation de la séquence de mouvements et de perceptions.

Notes:

1. Exemples de schèmes sensori-moteurs: la succion (nutritive ou non), la préhension, la réunion d'objets, le fait de tirer sur un support pour s'emparer d'un objet. (Il s'agit dans ce cas d'un schème complexe, composé de deux schèmes exercés auparavant isolément.)
2. Pour J. Montangero et D. Maurice-Naville (1994, p. 201), «le schème n'est pas le déroulement particulier des mouvements et des enregistrements perceptifs: c'est le canevas général qui peut se reproduire en des circonstances différentes et donner lieu à des réalisations variées. Par exemple, on tend plus ou moins le bras ou on ouvre plus ou moins la main selon l'éloignement ou la taille de l'objet à saisir. Quel que soit l'objet, il s'agit toujours du même schème de préhension.»
3. VA. Schème.
   VA. Intelligence sensori-motrice.
   VA. Régulations sensori-motrices et perceptives.

SCHÈME VERBAL (s.m.)

Type de schème constitué par les premiers mots utilisés par l'enfant à titre de signifiants pour désigner des objets ou situations signifiés.

Notes:

1. Ils apparaissent à la fin de la période sensori-motrice et donc au début de l'intelligence représentative.
2. Pour J. Montangero et D. Maurice-Naville (1994, p. 202), «Piaget définit les schèmes verbaux comme des intermédiaires entre les schèmes sensori-moteurs et les schèmes conceptuels; ce sont les significations désignées par les premiers mots de l'enfant: par exemple le signe semi-verbal "tch-tch" peut s'appliquer à ce qui apparaît et disparaît vu d'une fenêtre (trains,

voitures, etc.), mais aussi au père quand il joue à cache-cache avec l'enfant.»

3. VA. Schème.
   VA. Intelligence sensori-motrice.
   VA. Pensée symbolique.

SÉQUENCE NUMÉRIQUE ORALE (s.f.)

Représentation conventionnelle du nombre utilisant une structure de plusieurs lexèmes numériques.

Notes:

1. Pour P. Dessailly (1992, p. 16), «les entités sonores peuvent être composées d'un ou de plusieurs lexèmes. Dans le second cas, le "mot-nombre" constitue une structure plus complexe que nous appellerons parfois "séquence numérique orale". Ainsi, nous dirons que le mot-nombre "septante" et le mot-nombre "soixante-dix" constituent deux désignations différentes d'un seul et même concept numérique bien repérable dans l'ensemble N des nombres entiers. La version belge repose, dans le cas présent, sur une unité lexicale isolée; la version française compte deux unités lexicales concaténées qui forment une séquence numérique orale: "soixante" et "dix".»
2. VA. Représentation conventionnelle.
   VA. Mot-nombre.
   VA. Nombre.

SÉRIATION (n.f.)

Activité faisant partie de la logique des relations qui prépare la voie au nombre en groupant les objets selon leurs différences ordonnées.

Notes:

1. Pour M.F. Legendre-Bergeron (1980, p. 201), «Les opérations constitutives de la sériation font leur apparition en même temps que les opérations constitutives de la classification. Elles reposent, en effet, sur une même structure de groupement qui caractérise le système des actions intériorisées et réversibles propres à la pensée opératoire concrète. Alors que le critère de la classification proprement opératoire est l'inclusion hiérarchique des parties dans le tout, le critère de la sériation opératoire est la transitivité.»
2. Selon M. Bacquet et B. Gueritte-Hess (1982, p. 36), «La sériation joue un rôle important dans l'organisation des nombres. Elle va permettre:
   - d'en structurer la succession,
   - de les comparer deux à deux,
   - de les situer dans la suite ordonnée de zéro à l'infini,
   - de découvrir à travers eux le procédé qui permet de passer de l'un à l'autre: l'itération.

   Cette activité de "plus un" sera la base de toute la technique de construction de la numération.»
3. D'après F. Jaulin-Mannoni (1973, p. 46), «Piaget attache une plus grande importance à la problématique des inclusions de classes qu'à celle des sériations. La pratique, lorsqu'en particulier, elle s'exerce sur certains enfants dyspraxiques présentant généralement de très gros troubles de l'organisation temporelle et spatiale liés à une mauvaise coordination des schèmes psychomoteurs et à une incapacité à accéder à la réversibilité, nous conduit, au contraire, à penser que les sériations posent peut-être des problèmes pédagogiques beaucoup plus complexes en définitive que les inclusions de

classes. Dans la mesure où elles relèvent des actions beaucoup plus que du langage et où les facteurs perceptifs, loin de les faciliter comme on pourrait le croire, viennent au contraire en empêcher le jeu, elles nous paraissent avoir dans le cadre de la rééducation une très grande importance à la fois par les problèmes qu'elles soulèvent et par ceux qu'elles permettent de résoudre.»

4. VA. Logique des relations.
   VA. Logique des classes.
   VA. Classification opératoire.
   VA. Opérations logiques.
   VA. Groupement.
   VA. Réversibilité.
   VA. Transitivité.
   VA. Inclusion.
   VA. Nombre.
   VA. Ordinalité.

SÉRIATION ADDITIVE (s.f.)

Type de sériation dans laquelle l'ordre des objets se fait selon un critère unique.

Notes:
1. Pour C. Botson et M. Deliège (1974, fiche 23), «dans la sériation additive, les différences de grandeurs s'additionnent une à une dans un ordre déterminé pour constituer la série.»
2. M.F. Legendre-Bergeron (1980, p. 202) distingue «deux types de sériations additives:
   - asymétriques: elles correspondent à l'enchaînement des relations asymétriques transitives (par exemple: une série de bâtonnets d'inégales longueurs placés en ordre croissant ou décroissant);
   - symétriques: ce sont des compositions entre relations symétriques.»
3. VA. Sériation .
   VA. Sériation multiplicative.
   VA. Logique des relations.

SÉRIATION FIGURALE (s.f.)

Étape pré-opératoire dans l'acquisition de la logique des relations caractérisée par une sériation tâtonnante qui témoigne d'un défaut de méthode opératoire et ne repose que sur des régulations de proche en proche.

Notes:
1. Pour J. Piaget et B. Inhelder (1967, p. 251), «au cours de cette étape, le sujet réussit la sériation, mais par tâtonnements empiriques et il ne parvient à intercaler les éléments intercalaires qu'avec des nouveaux tâtonnements et en général, en recommençant le tout.»
2. VA. Pensée pré-opératoire.
   VA. Sériation.
   VA. Régulations intuitives.

SÉRIATION MULTIPLICATIVE (s.f.)

Type de sériation par laquelle les objets sont ordonnés selon plusieurs critères.

Notes: 1. M.F. Legendre-Bergeron (1980, p. 202) distingue «deux types de sériations multiplicatives:
- bi-univoques: elles correspondent à une multiplication de deux sériations portant, soit sur la même relation (par exemple: une correspondance sériale entre 2 rangées distinctes d'objets ordonnés selon la même relation telle qu'une rangée de bonshommes de plus en plus grands avec une rangée de cannes de plus en plus grandes), soit sur deux relations distinctes (par exemple: des objets sériés simultanément selon la taille, du plus petit au plus grand et selon la teinte, du plus clair au plus sombre) (Remarque: dans le dictionnaire Robert, la relation est dite bi-univoque, s'il y a réciprocité.);
- co-univoques: elles peuvent être représentées par un arbre généalogique.»

2. VA. Sériation.
VA. Sériation additive.
VA. Logique des relations.

SÉRIATION OPÉRATOIRE (s.f.)

Étape dans l'acquisition de la logique des relations au cours de laquelle l'enfant est capable d'anticiper les mises en relations qu'il devra faire et d'effectuer d'emblée la sériation correcte.

Notes: 1. Cette réussite immédiate de la sériation est liée à l'emploi d'une méthode systématique consistant à prendre, dans une série d'éléments, le plus petit de tous, puis le plus petit de ceux qui restent, etc. jusqu'à épuisement des éléments à sérier. L'emploi d'une telle méthode suppose l'utilisation de la transitivité, qui fait elle-même intervenir un système d'opérations réversibles.

2. VA. Pensée opératoire concrète.
VA. Logique des relations.
VA. Sériation.
VA. Transitivité.
VA. Réversibilité.

SOUSTRACTION (n.f.)

Opération numérique fondamentale par laquelle on retranche un ensemble d'un autre, pour obtenir la différence entre les deux.

Notes: 1. Cette opération est le contraire de l'addition.

2. VA. Opération numérique fondamentale.
VA. Addition.
VA. Inclusion.

STADES DE CONSTRUCTION (s.m.pl.)

Étapes dans le développement des structures cognitives qui se caractérisent par un plan de connaissance particulier et par un certain degré de complexité des activités intellectuelles.

Notes: 1. Pour J. Montangero et D. Maurice-Naville (1994, p. 208), «la notion de stade est un outil méthodologique, un principe de classification, certes important, mais descriptif plutôt qu'explicatif. Cela n'empêche pas que la notion de stade corresponde, pour Piaget, à une réalité psychologique: il s'agit de coupures naturelles, mais qui s'observent exclusivement dans le développement cognitif.»

2. Pour M.F. Legendre-Bergeron (1980, p. 207), «les stades et périodes de développement constituent des découpages au sein de l'évolution psychogénétique. Leur détermination s'effectue en relation avec la formation progressive et l'achèvement des structures (sensori-motrices, opératoires concrètes puis formelles) de l'intelligence. Ces structures constituent, dans la perspective piagétienne, des paliers d'équilibre, correspondant à des modes d'adaptation particuliers du sujet à son milieu. Le stade ne se définit pas par une conduite dominante mais par la structure générale commune aux conduites propres à un certain niveau de développement.»
3. VA. Structures cognitives.
   VA. Intelligence sensori-motrice.
   VA. Pensée symbolique.
   VA. Pensée pré-opératoire.
   VA. Pensée opératoire concrète.
   VA. Pensée opératoire formelle.

STRUCTURES COGNITIVES (s.f.pl.)

Instruments de connaissance dont dispose le sujet à chaque stade de son développement.

Notes:

1. Cette définition est reprise à M.F. Legendre-Bergeron (1980, p. 75).
2. Elle la précise en disant que: «les structures cognitives sont formées de schèmes (ou conduites) dont l'extension (c'est-à-dire le degré d'adaptation fonctionnelle au milieu) et la compréhension (ou niveau d'organisation) sont susceptibles de s'enrichir par un double processus continu: celui de l'assimilation (action des schèmes sur le milieu) et celui de l'accommodation (modification des schèmes au contact des objets).»
3. VA. Processus de construction.
   VA. Mécanismes de construction.
   VA. Contenant de pensée.
   VA. Accommodation.
   VA. Assimilation.
   VA. Équilibration.

SURCOMPTAGE (n.m.)

Technique de comptage permettant de prendre le comptage des éléments en cours de route et ne nécessitant donc plus la récitation du début de la comptine numérique.

Notes:

1. Pour R. Brissiaud (1989, p. 75), «il semble préférable d'enseigner le calcul pensé plutôt que le surcomptage, car le surcomptage est une procédure de calcul puissante, mais qui ne permet guère d'aller vers une meilleure conception des quantités.»
2. VA. Comptage.
   VA. Comptine numérique.

SYSTÈME ALPHABÉTIQUE (s.m.)

Système de numération écrite qui utilise la langue naturelle pour coder un nombre.

Notes: 1. Exemples: «un», «deux», «vingt-trois»...
2. VA. Numération écrite.
VA. Nombre.

TEMPS (n.m.)

Composante des opérations infra-logiques qui suppose l'organisation spontanée de phénomènes successifs et la capacité de structurer un horizon temporel, tenant compte du passé et se projetant dans l'avenir.

Notes: 1. Pour C. Botson et M. Deliège (1974, fiche 36), «une notion objective du temps écoulé suppose trois types d'"opérations":

- il faut d'abord que l'enfant puisse assigner un ordre de succession correct aux événements.
  Exemple: cinq images représentant (1) un œuf dans le nid
  (2) un œuf dans la poêle
  (3) un œuf dans l'assiette
  (4) un enfant qui mange l'œuf
  (5) une assiette vide et sale.
  En donnant ces cinq images en désordre à l'enfant, on peut vérifier sa capacité de les ordonner selon une suite logique. Cette opération est analogue à la sériation. Elle peut être réussie sans qu'intervienne aucune notion de durée.
- il faut ensuite que cette succession soit comprise comme un emboîtement d'intervalles (inclusion): temps pour (1) + temps pour (2) < temps pour (1) + temps pour (2) + temps pour (3), etc.
- il faut enfin que la durée puisse être mesurée: utilisation d'une "métrique temporelle" qui consiste à juxtaposer une unité (exemple: une minute) en succession le long du déroulement d'un ou d'une suite de phénomènes, de la même façon que l'on juxtapose une unité d'espace (1 cm par ex.) le long d'une structure spatiale.»

2. VA. Opérations infralogiques.
VA. Opérations logiques.
VA. Sériation.
VA. Inclusion.

TRANSCODAGE (n.m.)

Procédé permettant de transformer la parole en écriture et inversement.

Notes: 1. Plus précisément, dans ce domaine du calcul, il s'agira de transformer la numération parlée en numération écrite et inversement. Seize = 16.
2. Pour P. Dessailly (1992, p. 100), «la lecture à haute voix d'un nombre consiste à transposer une séquence chiffrée en l'expression orale correspondante tandis que son écriture sous dictée fait appel à la démarche inverse. Ces deux activités complémentaires, associées ou non à la représentation sémantique du concept numérique sous-jacent, supposent la mise en œuvre d'opérations de transcodage visant à substituer un code cible à un code source.»

3. VA. Numération parlée.
   VA. Numération écrite.
   VA. Nombre.

TRANSITIVITÉ (n.f .)

Caractéristique de la logique des classes, des transformations et des relations qui est telle que, chaque fois qu'on a une relation entre un élément x et un élément y d'une part, entre l'élément y et l'élément z d'autre part, on a nécessairement la même relation entre l'élément x et l'élément z.

Notes:

1. «La transitivité est l'une des propriétés de base des groupements de relations symétriques aussi bien qu'asymétriques. La relation symétrique d'égalité numérique, ou encore la relation asymétrique de grandeur entre des baguettes possèdent par exemple cette propriété (par contre la relation d'amitié n'est pas transitive: les amis de nos amis peuvent, hélas, être nos ennemis). Piaget et ses collaborateurs psychologues ont largement recouru à des problèmes de transitivité pour tester le niveau de développement opératoire des enfants. Parmi les nombreux résultats spectaculaires de la psychologie génétique, on trouve en effet ce constat qu'un enfant ne maîtrise la propriété de transitivité propre à une notion que dans la mesure où, par ailleurs, il a construit les opérations correspondantes» (J. Piaget, 2001, notion: transitivité).
2. VA. Commutativité.
   VA. Distributivité.
   VA. Logique des classes.
   VA. Logique des relations.
   VA. Logique des transformations.
   VA. Conservation.

Glossaire

AGNOSIE (n.f.)
Incapacité à reconnaître ce qui est perçu (alors que les organes sensoriels restent intacts).

AGNOSIQUE (adj.)
Relatif à l'agnosie.
VA. Agnosie.

AGRAPHIE (n.f.)
Désigne les difficultés praxiques, visuospatiales ou langagières de «s'exprimer par écrit» en l'absence de paralysie, ou de trouble affectant la coordination des mouvements.

ALEXIE (n.f.)
Désigne traditionnellement la perturbation (pouvant aller jusqu'à l'incapacité totale) de la compréhension du langage écrit.

ALEXIE LITTÉRALE (s.f.)
Type d'alexie se manifestant par une incapacité à reconnaître les lettres.

ANTITRANSITIVITÉ (n.f.)
Une relation est antitransitive si chaque fois qu'on a la relation entre un élément X et un élément Y d'une part, entre l'élément Y et l'élément Z d'autre part, on n'a pas nécessairement la même relation entre l'élément X et l'élément Z. Exemple: «Est le père de,...»

ANTIRÉFLEXIVITÉ (n.f.)
Une relation est antiréflexive si aucun élément ne peut être en relation avec lui-même. Exemples: «Est plus grand que, est à côté de,...»

APHASIE (n.f.)
Trouble de l'expression et/ou de la compréhension du langage oral et/ou écrit dû à une lésion cérébrale localisée, en l'absence d'atteinte des organes d'émission ou de réception.

APHASIE FLUENTE (s.f.)
Type d'aphasie se manifestant par un discours fluide et abondant, appelé logorrhée.
VA. Aphasie.

APHASIQUE (n.m. ou adj.)
Relatif à l'aphasie.
VA. Aphasie.

APRAXIE (n.f.)
Incapacité à effectuer des mouvements volontaires adaptés à un but, alors que les fonctions motrices et sensorielles sont normales.

APRAXIE CONSTRUCTIVE (s.f.)
Désigne l'altération de la capacité de construire, c'est-à-dire d'assembler des éléments dans les deux ou les trois plans de l'espace.
VA. Apraxie.

ASYMÉTRIQUE (adj.)
Des relations sont asymétriques si et seulement si, chaque fois qu'on a la relation entre un élément X et un élément Y, on n'a certainement pas la même relation entre l'élément Y et l'élément X. Exemple: «Etre plus grand que,...»

CÉNESTHÉSIE (ou CŒNESTHÉSIE) (n.f.)
Impression générale résultant d'un ensemble de sensations internes et caractérisée essentiellement par l'aise ou le malaise.

CLASSER (v.)
Consiste uniquement à ranger en catégories. Classer n'est pas déduire, cependant toutes les activités logiques de déduction sont présentes dans la construction du classement et dans son utilisation.

CODAGE (n.m.)
Processus par lequel certains signaux du code sont sélectionnés (choisis) et introduits dans le canal. (syn. Encodage).

CODE (n.m.)
Système de signaux – ou de signes, ou de symboles – qui, par convention préalable, est destiné à représenter et à transmettre l'information entre la source – ou émetteur – des signaux et le point de destination – ou récepteur.

COGNITIF (adj.)
Qui sert à connaître, à informer, à communiquer.

COMBINAISON (n.f.)
Processus par lequel une unité de la langue entre en relation, sur le plan de la parole, avec d'autres unités elles aussi réalisées dans l'énoncé.

COMPÉTENCE LINGUISTIQUE (s.f.)
Connaissance implicite qu'un sujet parlant possède de sa langue. Cette connaissance implique non seulement la faculté de comprendre et de produire un nombre indéfini de phrases nouvelles, mais aussi la capacité de reconnaître les phrases mal formées, et éventuellement, de les interpréter.

CONCEPT (n.m.)
Représentation symbolique de nature verbale ayant une signification générale qui convient à toute une série d'objets concrets possédant des propriétés communes.

CONFIGURATION (n.f.)
(Didact.) Forme extérieure, aspect général.
(Sc. Inform.) Ensemble organisé d'éléments.
(Math.) Ensemble fini d'éléments vérifiant des conditions algébriques ou topologiques de régularité.

CONGÉNITAL (adj.)
Qui dépend de l'organisation de l'individu telle qu'elle est au moment de sa naissance.

CONTENUS DE PENSÉE (s.m.pl.)
Images, sentiments, mots ou énoncés complexes occupant notre esprit.

CONTINU (adj.)
Composé de parties non séparées; perçu comme un tout.

DIAGNOSTIC DIFFÉRENTIEL (s.m.)
Élimination par le raisonnement des affections voisines de celle que cherche à identifier le médecin.

DIFFÉRENCE (n.f.)
Résultat d'une soustraction.

DISCRET (adj.)
Qui ne peut prendre qu'un ensemble fini ou dénombrable de valeurs.

DISCURSIF (adj.)
Qui tire une proposition d'une autre par une série de raisonnements successifs (opposé à intuitif).

DISJONCTION (n.f.)
Opération logique consistant à offrir le choix entre des propriétés. La réunion de deux classes est l'ensemble des éléments appartenant à au moins l'une des deux classes. En langage courant, cette opération peut se traduire par le mot «ou» au sens non exclusif (l'un, l'autre, ou les deux). En logique des propositions, elle porte le nom de disjonction inclusive ou somme logique. La disjonction inclusive de deux propositions est vraie si une au moins des deux propositions est vraie. Lorsque le choix est exclusif (l'un ou l'autre, mais pas les deux), cela correspond à la réunion de deux classes moins leur intersection. La disjonction exclusive de deux propositions est vraie si une seule des deux propositions est vraie.

DYSLEXIE (DE DÉVELOPPEMENT) (s.f.)
Trouble spécifique de la lecture se manifestant par une difficulté importante et persistante dans l'apprentissage de la lecture en dépit d'un enseignement classique, d'une intelligence suffisante, et de facilités socio-culturelles. Ce trouble relève d'inaptitudes cognitives fondamentales ayant fréquemment une origine constitutionnelle.

DYSPHASIE (n.f.)
Ensemble de troubles structurels du langage oral et de troubles cognitifs associés, secondaires à un dysfonctionnement cérébral, caractérisés par une déviance permanente, durable et significative de tout ou partie des performances langagières et cognitives.

DYSPHASIQUE (adj.)
Relatif à la dysphasie.
VA. Dysphasie.

DYSPRAXIE (n.f.)
Trouble d'ordre psychomoteur, et parfois affectif, souvent accompagné de difficultés d'apprentissage de la lecture, de l'écriture et du calcul.

DYSPRAXIQUE (adj.)
Relatif à la dyspraxie.
VA. Dyspraxie.

ÉGOCENTRISME (n.m.)
Tendance à être centré sur soi-même et à ne considérer le monde extérieur qu'en fonction de l'intérêt qu'on se porte.
Caractère individuel, non social, de la pensée enfantine, se traduisant par l'absence d'objectivité.

ÉMISSION (n.f.)
Acte de produire, d'émettre des phrases.

EMPATHIE (n.f.)
Aptitude à appréhender les sentiments et/ou les pensées de son interlocuteur.

EMPIRIQUE (adj.)
Qui reste au niveau de l'expérience spontanée ou commune, n'a rien de rationnel, ni de systématique.

ENDOGÈNE (adj.)
Qui prend naissance à l'intérieur d'un corps, d'un organisme, qui est dû à une cause interne.

ÉNONCÉ (n.m.)
Suite finie de mots d'une langue émise par un ou plusieurs locuteurs. La clôture est assurée par une période de silences avant et après la suite de mots, silences réalisés par les sujets parlants.

ÉNONCIATION (n.f.)
Acte individuel d'utilisation de la langue au cours duquel un locuteur particulier actualise une suite de phrases dans des circonstances spatiales et temporelles précises.

ENTITÉ PATHOLOGIQUE (s.f.)
Ensemble des manifestations d'une maladie et des effets morbides qu'elle entraîne.

ENTITÉ SYNDROMIQUE (s.f.)
Ensemble clinique de symptômes et/ou de signes, observable dans plusieurs états pathologiques différents et sans cesse spécifique.

ÉTIOLOGIE (n.f.)
Etude des causes des maladies.

ÉVOCATION (n.f.)
Action d'évoquer, de rendre présent à la mémoire ou à l'esprit.

EXOGÈNE (adj.)
Qui provient de l'extérieur, qui se produit à l'extérieur (de l'organisme, d'un système), ou qui est dû à des causes externes.

EXPRESSION (n.f.)
Mot ou syntagme (une expression argotique, populaire, figurée), substance d'un énoncé (expression vocale et expression graphique).

FACTEURS PSYCHOLOGIQUES (s.m.pl.)
Événements professionnels, familiaux ou sentimentaux, ou choc psychologique pouvant déclencher un processus morbide.

FIGURATIVITÉ (n.f.)
Fonctionnement cognitif qui consiste à ne s'appuyer que sur les états du réel par l'usage de la perception et de l'évocation.

FOCAL (adj.)
Qui se rapporte à un foyer (foyer d'une lentille optique, foyer infectieux).
Ex: inflammation focale, distance focale.

FONCTION ORDONNATRICE (s.f.)
Fonction du langage qui permet d'ordonner le monde extra-linguistique.

FONCTIONNEL (adj.)
Qui se rapporte à la fonction d'un organe; souvent opposé à organique.

FRACTION (n.f.)
Rapport entre deux nombres entiers relatifs, positifs ou négatifs.

GNOSIE (n.f.)
Possibilité de reconnaissance des objets en fonction de leur qualité sensorielle.

GNOSIQUE (adj.)
Relatif au concept de gnosie.
VA. Gnosie.

HYPERACTIF (adj.)
Se dit d'un enfant qui est beaucoup trop actif, bouge continuellement, reste rarement calme. Les enfants hyperactifs auraient un déficit de l'attention sélective, que l'on ne peut résoudre que par l'administration de médicaments neuroleptiques et associés.

IMAGE ACOUSTIQUE (s.f.)
Représentation naturelle d'un mot en tant que fait de langue virtuel, en dehors de toute réalisation par la parole. L'image acoustique est l'empreinte psychique d'un son et non le son matériel.
VA. Signifiant.

IMAGE MENTALE (s.f.)
VA. Signifié.

INFÉRENCE (n.f.)
Raisonnement consistant à admettre une proposition parce qu'elle est liée à d'autres propositions déjà admises.

INSTRUMENTAL (adj.)
Qui se fait à l'aide d'instruments, d'outils, permettant d'atteindre l'objectif poursuivi.

INTERACTION (n.f.)
Action réciproque de deux organes ou de deux appareils l'un sur l'autre.

INTERSECTION (n.f.)
Opération logique consistant à cumuler des propriétés. L'intersection de deux classes est l'ensemble des éléments appartenant à l'une et à l'autre classe. En langage courant, cette opération peut se traduire par le mot «et». En logique des propositions, elle prend le nom de conjonction ou produit logique. La conjonction de deux propositions est vraie si les deux propositions sont vraies.

INTRINSÈQUE (adj.)
Qui est intérieur à l'objet dont il s'agit, qui appartient à son essence.

ITÉRATION (n.f.)
Répétition d'un procédé de calcul ou de raisonnement; l'itération est une particularisation du procédé général de réitération spécifique des mathématiques et mettant en jeu la notion d'infini. Son organisation se fait à travers le (+1).

KINESTHÉSIE (n.f.)
Sensation interne du mouvement des parties du corps assurée par le sens musculaire (sensibilité profonde des muscles) et par les excitations du labyrinthe de l'oreille interne.

KINESTHÉSIQUE (adj.)
Relatif à la kinesthésie.
VA. Kinesthésie.

LANGAGE (n.m.)
Capacité spécifique à l'espèce humaine de communiquer au moyen d'un système de signes vocaux (une langue) mettant en jeu une technique corporelle complexe et supposant l'existence d'une fonction symbolique et de centres nerveux génétiquement spécialisés.

LANGUE (n.f.)
Instrument de communication, système de signes vocaux spécifiques aux membres d'une même communauté.

LANGUE MATERNELLE (s.f.)
Langue naturelle de l'entourage de l'enfant (par l'intermédiaire du modèle que représente la mère).

LÉSION (n.f.)
Changement survenu dans les caractères anatomiques et histologiques d'un organe sous l'influence d'une cause morbide.

LÉSIONNEL (adj.)
Qui se rapporte à une lésion.
VA. Lésion.

LEXÈME (n.m.)
Unité de base du lexique.
VA. Lexique.

LEXIQUE (n.m.)
Ensemble des unités (lexèmes) formant le vocabulaire, la langue d'une communauté, d'une activité humaine, d'un locuteur, etc.

LINGUISTIQUE (n.f.)
Science du langage, c'est-à-dire étude objective, descriptive et explicative de la structure, du fonctionnement et de l'évolution dans le temps des langues naturelles humaines.

LOCUTEUR (n.m.)
Sujet parlant qui produit des énoncés, par opposition à celui qui les reçoit et y répond.

MATHÉMATIQUE (n.f.)
Au singulier: ensemble des structures abstraites sous-tendant les mathématiques.

MATHÉMATIQUES (n.f.pl.)
Au pluriel: disciplines étudiant, par le moyen du raisonnement déductif, les propriétés des êtres abstraits (nombres, figures géométriques,...) ainsi que les relations qui s'établissent entre eux.

MÉMOIRE (n.f.)
Possibilité, pour un sujet, d'enregistrer des informations constituées par des expériences ou des évènements, de les conserver et de pouvoir les utiliser.

MÉMOIRE À COURT TERME (s.f.)
Mémoire caractérisée par une capacité limitée et par un oubli très rapide.

MÉMORISATION (n.f.)
Fait de mettre des données en mémoire.

MÉTALANGUE (n.f.)
Langue artificielle servant à décrire une langue naturelle (1) dont les termes sont ceux de la langue objet d'analyse, mais qui ont une seule acception et (2) dont les règles de syntaxe sont aussi celles de la langue analysée. La métalangue est, par exemple, le langage grammatical dont le linguiste se sert pour décrire le fonctionnement de la langue.

MÉTALINGUISTIQUE (adj.)
Relatif à la métalangue.
VA. Métalangue.

MÉTALINGUISTIQUE (n.f.)
Sous-domaine de la métacognition qui concerne le langage et son utilisation. Ce sous-domaine comprend: a) les activités de réflexion sur le langage et son utilisation; b) les activités de contrôle conscient et de planification intentionnelle par le sujet de ses propres procédures de traitement linguistique (en compréhension comme en production).

MOTRICITÉ (n.f.)
Faculté que possèdent certains centres nerveux de provoquer la contraction des muscles.
Ensemble des fonctions de relation, assurées par le squelette, les muscles et le système nerveux, permettant les mouvements et le déplacement chez un être vivant.

MULTIPLICANDE (n.m.)
Dans une multiplication, celui des facteurs qui est énoncé le premier. Dans 4 multiplié par 3, 4 est le multiplicande, 3 le multiplicateur.
VA. Multiplicateur.

MULTIPLICATEUR (n.m.)
Dans une multiplication, celui des facteurs qui est énoncé le second.
VA. Multiplicande.

NEUROPSYCHOLOGIE (n.f.)
Etude des phénomènes psychiques en liaison avec la physiologie et la pathologie du système nerveux.

NOMBRE ENTIER (s.m.)
Type de nombre qui ne renferme que des unités complètes.

NOMBRE NATUREL (s.m.)
Symbole caractérisant une unité ou une collection d'unités considérée comme une somme.

NOMBRE RATIONNEL (s.m.)
Ensemble de nombres qui permet de trouver une solution aux quatre opérations fondamentales quels que soient les nombres en présence.
Les nombres rationnels s'écrivent sous forme de décimaux illimités périodiques, tandis que les nombres irrationnels s'écrivent sous forme de décimaux illimités non périodiques.

OPÉRATIONS ADDITIVES (s.f.pl.)
Les opérations additives signifient à la fois les opérations d'addition et de soustraction. Elles sont constituées lorsque le tout est considéré comme invariant quelle que soit la distribution des parties.

PARAPHASIE (n.f.)
Substitution d'un élément du langage (phonème, mot) par un autre dans le contexte pathologique de certaines aphasies.

PAROLE (n.f.)
Usage concret qu'un individu fait de la langue.

PATHOGÉNIE (n.f.)
Discipline qui étudie les mécanismes de développement des pathologies.

PATTERN (n.m.)
Modèle simplifié d'une structure, en sciences humaines.

PERCEPTION (n.f.)
Fonction par laquelle l'esprit se représente les objets; acte par lequel s'exerce cette fonction; son résultat.

PHONÈME (n.m.)
Unité phonique distinctive minimale, donc indivisible en éléments plus petits de même nature. Les phonèmes se combinent successivement le long de la chaîne parlée pour constituer les signifiants des messages et s'opposent ponctuellement, en différents points de la chaîne parlée, pour distinguer les messages les uns des autres.

PHONÉTIQUE (n.f.)
Discipline qui étudie les sons du langage dans toute l'étendue de leurs propriétés physiques, indépendamment de leur fonction dans la langue (phonologie).

PRAXIE (n.f.)
Systèmes de mouvements, coordonnés en fonction d'un résultat ou d'une intention. Ils doivent donc être différenciés des mouvements réflexes ou automatiques et non-intentionnels. Les praxies sont donc en quelque sorte les réponses motrices élaborées suite à l'intégration des perceptions.

PROBLÈME (n.m.)
Question à résoudre, portant soit sur un résultat inconnu à trouver à partir de certaines données, soit sur la détermination de la méthode à suivre pour obtenir un résultat supposé connu.

PROCÉDURE (n.f.)
Manière de procéder pour aboutir à un résultat.

PRODUIT (n.m.)
Résultat d'une multiplication. Si deux nombres sont désignés par a et b, leur produit s'écrit a x b, qui, par convention, peut être allégé en $a.b$, ou encore plus simplement, ab. Les deux termes d'un produit sont ses facteurs.

PSYCHOGÈNE (adj.)
Qui est d'origine psychologique.

PSYCHOLINGUISTIQUE (n.f.)
Domaine pluridisciplinaire combinant la psychologie et la linguistique. Elle se préoccupe, d'une part, de l'apparition et du développement du langage et, d'autre part, des processus psychologiques sous-tendant la production, la compréhension, la mémorisation et la reconnaissance du matériel linguistique, tant chez le locuteur natif que chez l'apprenti d'une langue seconde.

PSYCHOMOTRICITÉ (n.f.)
Intégration des fonctions motrices et psychiques résultant de la maturation du système nerveux.

PSYCHONÉVROSE (n.f.)
Affection mentale que son degré de gravité et sa structure placent dans un cadre nosographique intermédiaire entre les névroses et les psychoses.

QUANTIFICATION (n.f.)
Détermination de la quantité.

QUOTIENT (n.m.)
Résultat d'une division.

RANG (n.m.)
Place, comptée à partir de la droite, qu'occupe un chiffre donné dans la série des puissances successives de dix.

RÉACTIONS CIRCULAIRES (s.f.pl.)
Reproduction globale d'une activité et de ses résultats provoqués par hasard.

RÉACTIONS CIRCULAIRES PRIMAIRES (s.f.pl.)
Premières réactions circulaires à apparaître dans le développement génétique. Elles débutent au second stade de l'intelligence sensori-motrice et sont en relation avec la formation des premières habitudes acquises par l'enfant. (ex.: sucer son pouce). Elles prolongent l'activité réflexe (succion) mais en y incorporant un élément nouveau (le pouce) acquis par expérience.

RÉACTIONS CIRCULAIRES SECONDAIRES (s.f.pl.)
Seconde forme de réactions circulaires acquises par l'enfant. Elles se manifestent par la tendance du sujet à répéter les gestes ayant produit, par hasard, des effets intéressants dans le milieu.

RÉACTIONS CIRCULAIRES TERTIAIRES (s.f.pl.)
Troisième forme de réactions circulaires à apparaître dans le développement génétique. Elles consistent en une reproduction des gestes qui ont abouti à un résultat intéressant dans le milieu mais avec des variations au cours des répétitions.

RÉCEPTEUR (n.m.)
Celui qui reçoit et décode un message réalisé selon les règles d'un code spécifique.

RÉFÉRENT (n.m.)
Être ou objet auquel renvoie un signe linguistique dans la réalité extra-linguistique telle qu'elle est découpée par l'expérience d'un groupe humain.

RÉFLEXE (n.m.)
Réaction motrice ou sécrétoire succédant à une excitation de nature déterminée venue du milieu ambiant et déclenchée par le système nerveux en dehors de toute action de la volonté.

RÉFLEXIF (adj.)
Une relation est réflexive si tout élément X est nécessairement en relation avec lui-même. Exemple: «Est aussi grand que,...»
Une relation est réflexive s'il existe une boucle en tout point.

REPRÉSENTATION (n.f.)
Processus de construction et d'appréhension du réel à partir des données provenant du monde extérieur.

RYTHME (n.m.)
Retour régulier dans la chaîne parlée d'impressions auditives analogues (créées par divers éléments prosodiques).

SCHÉMA CORPOREL (s.m.)
Image mentale (subjective) de son propre corps.

SÉMANTIQUE (n.f.)
Étude du langage considéré du point de vue du sens; théorie visant à rendre compte des phénomènes signifiants dans le langage.

SIGNE (n.m.)
Entité double, faite du rapprochement d'un concept appelé signifié et d'une image acoustique appelée signifiant.

SIGNIFIANT (n.m.)
Forme concrète, perceptible à l'oreille (l'image acoustique) dans le langage oral, à la vue (l'image visuelle) dans le langage écrit, qui renvoie à un concept, le signifié.

SIGNIFIÉ (n.m.)
Composante d'un signe à laquelle renvoie le signifiant; concept, résumé de la compréhension de la classe d'objets évoqués par le signifiant.

SOMME (n.f.)
Quantité formée de quantités additionnées; résultat d'une addition.

STADE (n.m.)
Chacune des étapes distinctes d'une évolution, d'un phénomène; chaque forme que prend une réalité en devenir.
Étapes successives du développement psychique de l'enfant, caractérisées par des modes d'organisation spécifiques.

STIMULUS (n.m.)
Situation extralinguistique qui suscite chez un locuteur une réaction verbale, ainsi que la matière acoustique ou graphique qui provoque une réaction, verbale ou non, de la part d'un locuteur.

SYMBOLE (n.m.)
Signe qui présente au moins un rudiment de lien entre le signifiant et le signifié.

SYMPTOMATOLOGIE (n.f.)
Ensemble des troubles observés dans une pathologie spécifique.

SYMPTÔME (n.m.)
Manifestation d'une maladie pouvant être perçue subjectivement par le malade lui-même (symptôme subjectif) ou être constatée par l'examen clinique (symptôme objectif, appelé couramment «signe»).

SYNDROME (n.m.)
Association de plusieurs symptômes, signes ou anomalies constituant une entité clinique reconnaissable, soit par l'uniformité de l'association des manifestations morbides, soit par le fait qu'elle traduit l'atteinte d'un organe ou d'un système bien défini.

SYNTAXE (n.f.)
Étude des relations entre les formes élémentaires du discours (mot, syntagme). Étude des règles qui président à l'ordre des mots et à la construction des phrases dans une langue. Étude descriptive des relations existant entre les unités linguistiques (dans le discours) et des fonctions qui leur sont attachées.

SYSTÈME NERVEUX CENTRAL (s.m.)
Masse de tissu nerveux composée de substances grise et blanche, formant l'encéphale et la moelle épinière à l'exclusion des nerfs sensitifs, moteurs, sympathiques ou parasympathiques qui forment le système nerveux périphérique.

TAUTOLOGIE (n.f.)
En logique, énoncé vrai quelle que soit la valeur des composantes; s'oppose à «absurdité». Exemple: «Il pleut ou il ne pleut pas.»

TONUS (n.m.)
État de contraction de base, permanente et involontaire, des muscles striés, sous la dépendance des centres nerveux. Le tonus détermine la position des segments de membres et assure la posture. Il est commandé par les noyaux gris centraux du cerveau et par le cervelet.

VOCABULAIRE (n.m.)
Ensemble des mots de la langue. Liste des vocables différents d'un texte, d'un corpus ou d'un auteur.

ZÉRO (n.m.)
Chiffre et nombre, à la fois positif et négatif; il indique l'absence d'unités à un rang.

Bibliographie

A.N.A.E. (1995). *Apprentissage du calcul et dyslexie.* N° hors série, pp. 1-76.

Ardenois, C. et Leterme, M. (1984). *Mise au point d'une batterie diagnostique des potentialités logico-mathématiques d'enfants de 3è année maternelle et du premier cycle de l'école primaire.* Questions de logopédie, 2, pp. 23-40.

Ardenois, C. et Leterme, M. (1984). *Mise au point d'une batterie diagnostique des potentialités logico-mathématiques d'enfants de 3è année maternelle et du premier cycle de l'école primaire.* Questions de logopédie, 3, pp. 53-62.

Bacquet, M. et guéritte-hess, B. (1982). *Le nombre et la numération.* Pratique de rééducation.

Baruk, S. (1973). *Échec et maths.* Collection Sciences ouvertes, Paris: Seuil.

Baruk, S. (1977). *Fabrice ou l'école des mathématiques.* Paris: Seuil.

Baruk, S. (1981). *Rééducation ou éducation mathématique.* Pratique des mots, 36, pp. 10-15.

Baruk, S. (1985). *L'âge du capitaine: de l'erreur en mathématiques.* Paris: Seuil.

Baruk, S. (1987). *Sens, pas de sens, non-sens. Les mathématiques en question.* Questions de logopédie, 13, pp. 73-99.

Baruk, S. (1992). *Dictionnaire de mathématiques élémentaires.* Paris: Seuil.

Beauvais, J. (1976). *Problèmes posés par l'enseignement des mathématiques.* Rééducation orthophonique, 87, pp. 41-57.

Beauverd, B. (1965). *Avant le calcul.* Delachaux et Niestlé, Neuchatel.

Bideaud, J., Meljac, c., Fischer, J.P. (1991). *Les chemins du nombre.* Lille: Presses Universitaires de Lille.

Botson, C. et Deliège, M. (1974). *Le développement intellectuel de l'enfant.* Pédagogie et Recherche, Direction générale de l'organisation des études.

Bouillet, A.F. (1984). *Préalables théoriques à la rééducation des mathématiques élémentaires.* Mémoire inédit, U.C.L.

Boulvin, M. (1984). *Lire et écrire des nombres ou... qu'est-ce que c'est un prof de maths dans l'enseignement secondaire spécial de type 1.* Questions de logopédie, 3, pp. 29-37.

BOUQUET, C. (1995). *Suivi d'un groupe d'enfants dyscalculiques.* Mémoire inédit, I.L.M.H. Bruxelles.

BRADMETZ, J. (1969). *Etude longitudinale du développement des opérations logico-mathématiques chez l'enfant de 4 à 9 ans.* Laboratoire de Psychologie, Université de Nancy 2, France.

BRAUNER, A. (1970). *Recherches sur le pré-calcul.* Paris: E.S.F.

BRISSIAUD, R. (1989). *Comment les enfants apprennent à calculer: Au-delà de Piaget et de la théorie des ensembles.* Paris: Retz.

BRISSIAUD, R. (1991). *Un outil pour construire le nombre: les collections-témoins de doigts.* In J. Bideaud, C. Meljac, et J.P. Fischer, (Eds.), Les chemins du nombre (pp. 59-90). Lille: Presses Universitaires de Lille.

BRUMAGNE, A. ET FONTAINE, B. (1983). *Utilisation de la batterie UDN 80 de C. Meljac: analyse de la constance des résultats.* Mémoire inédit, I.L.M.H. Bruxelles.

BRUYNBROECK, N. (1993). *Acquisition du nombre: processus, symbolisation, pathologie.* Mémoire inédit, I.L.M.H. Bruxelles.

CAMPOLINI, C ., VAN HÖVELL, V. ET VANSTEELANDT, A. (1997). *Dictionnaire de logopédie: Le développement normal du langage et sa pathologie.* Leuven: Peeters, SPILL.

CAMPOLINI, C ., VAN HÖVELL, V. ET VANSTEELANDT, A. (1998). *Dictionnaire de logopédie: Les troubles logopédiques de la sphère O.R.L..* Leuven: Peeters, SPILL.

CAMPOLINI, C ., VAN HÖVELL, V. ET VANSTEELANDT, A. (2000). *Dictionnaire de logopédie: Le développement du langage écrit et sa pathologie.* Leuven: Peeters, SPILL.

DE CALLATAY, C. (1999). *Au fil de la dyscalculie... Réflexions itinérantes basées sur la pratique.* Questions de logopédie, 35, pp. 79-90.

CALVARIN, S. ET MOREL, L. (1999). *Analyse des conduites de trois enfants en retard scolaire à travers quelques épreuves de bilan orthophonique.* Questions de logopédie, 35, pp. 39-59.

DEGROOTE, V. (1997). *Contribution à l'élaboration d'un dictionnaire terminologique en logopédie: Les troubles de l'acquisition du nombre.* Mémoire inédit. I.L.M.H. Bruxelles.

DEGUENT, M. (1999). *Retards logico-mathématiques: interprétation du bilan.* Questions de logopédie, 35, pp. 61-78.

DELBROUCK, E. ET PETIT, M. (1984). *Ateliers logico-mathématiques.* Questions de logopédie, 2, pp. 103-117.

DESSAILLY, P. (1984). *L'analyse de la matière: un préalable à l'action du rééducateur.* Questions de logopédie, 2, pp. 91-102.

DESSAILLY, P. (1992). *Le nombre pour un apprentissage fécond.* Ortho-Edition, France.

DESSY, F. ET MONTELLIER, M. (1990). *Les relations sémantiques entre les nombres: approche évolutive.* Mémoire inédit, U.C.L.

DIENÈS, Z.P. (1966). *Les premiers pas en mathématique: ensembles, nombres et puissances.* Paris: OCDL.

DOLLE, J.M. (1991). *Pour comprendre J. Piaget.* Dunod, Privat.

DOLLE, J.M. (1994). *Études sur la figurativité: une modalité du fonctionnement cognitif des enfants qui n'apprennent pas.* Glossa, 41, pp. 16-25.

DOPCHIE, M. ET MAENHOUDT, I. (1992). *Approche de la dyscalculie chez des enfants de l'enseignement de type 8 et de l'enseignement ordinaire.* Mémoire inédit, U.C.L.

DUBOIS, J. (1994). *Dictionnaire de linguistique et des sciences du langage.* Paris: Larousse.

DUBUC, L. (1980). *Manuel pratique de terminologie.* Linguatech, Conseil International de la langue française.

DUCROT, O. ET SCHAEFFER, J.M. (1995). *Nouveau dictionnaire encyclopédique des sciences du langage.* France: Seuil.

FAYOL, M. (1980). *Le nombre, sa genèse et son utilisation par l'enfant et l'adulte.* Glossa, 18, pp. 4-9.

FERRAND, I., DELOCHE, G. ET SERON, X. (1990). *Les nombres en chiffres et en mots: rééducations expérimentales.* Rééducation orthophonique, vol. 28, pp. 341-357.

FERRAND, I., DELOCHE, G. ET SERON, X. (1994). *Thérapie de transcodage.* Rééducation orthophonique, vol. 32, pp. 342-357.

FERRAND, P. ET TRÉANTON, A.M. (1994). *Bilan orthophonique.* Ortho-Edition, France.

FLAGEY, D. ET HASAERTS-VAN GEERTRUYDEN, E. (1984). *Un entretien avec D. Flagey et E. Hasaerts-Van Geertruyden.* Questions de logopédie, 3, pp. 39-48.

FRAISSE, P. ET PIAGET, J. (1969). *Traité de psychologie: l'intelligence*. Presses Universitaires de France.

FUSON, K.C. ET KWON, Y. (1991). *Systèmes de mots-nombres et autres outils culturels; effets sur les premiers calculs de l'enfant*. In J. Bideaud , C. Meljac et J.P. Fischer (Eds.), Les chemins du nombre. Lille: Presses Universitaires de Lille.

FUSON, K.C. (1991). *Relation entre comptage et cardinalité chez les enfants de 2 à 8 ans*. In J. Bideaud , C. Meljac et J.P. Fischer (Eds.), Les chemins du nombre. Lille: Presses Universitaires de Lille.

GHESQUIRE. M., NIMAL, P. ET BRYNAERT, J.M. (1979). *Apprentissage du nombre et stratégies associées chez 30 enfants du cycle 5-8*. Neuropsychiatrie de l'enfance et de l'adolescence, 27, pp. 537-544.

GIBELLO, B. (1986). *L'enfant à l'intelligence troublée: nouvelles perspectives cliniques et thérapeutiques en psychopathologie*. Paris: Le Centurion.

GIL, R. (1996). *Neuropsychologie*. Paris: Masson.

GRÉCO, P. (1962). *Quantité et quotité: Nouvelles recherches sur la correspondance terme à terme et la conservation des ensembles*. In P. Gréco, et A. Morf (Eds.), Structures numériques élémentaires (pp. 1-70). Paris: Presses Universitaires de France.

GRÉCO, P. ET MORF, A. (1962). *Structures numériques élémentaires*. Paris: Presses Universitaires de France.

GRÉGOIRE, J. (1996). *Quelle démarche d'évaluation diagnostique des troubles d'apprentissage en mathématique?* In J. Grégoire (Ed.), Evaluer les apprentissages: les apports de la psychologie cognitive (pp. 20-37). Bruxelles: De Boeck.

GRIZE, J.B. ET CHEVRIÉ-MULLER, C. (1974). *Langues naturelles, mathématique et réalité*. Bulletin CILA, 19, pp. 6-16.

GUIGNARD, N. (1984). *Mathématique: ses chemins de traverse*. Questions de logopédie, 3, pp. 15-20.

HASAERTS-VAN GEERTRUYDEN, E. (1975). *La dyscalculie chez l'enfant. Diagnostic différentiel*. Revue de neuropsychiatrie infantile, 23, pp. 665-667.

HÉCAEN, H. (1972). *Introduction à la neuropsychologie*. Paris: Larousse.

HENRIQUES, G. (1976). *Piaget et les mathématiques*. Bulletin de psychologie, pp. 247-252.

HÉTU, J.C. (1978). *Stratégie d'enseignement des nombres entiers naturels.* Presses de l'Université de Montréal.

HUBIN, H. (1998). *Dyscalculie.* Cours inédit, I.L.M.H. Bruxelles.

HUTIN, R. (1984). *La réforme de l'enseignement de la mathématique aura-t-elle lieu?* Questions de logopédie, 3, pp. 5-13.

IFRAH, G. (1994). *L'histoire universelle des chiffres.* Paris: Robert Laffont.

JACQUES, V. (1996). *Beitrag zu einem terminologischen Wörterbuch der Logopädie.* Mémoire inédit, I.L.M.H. Bruxelles.

JAULIN-MANNONI, F. (1965). *La rééducation du raisonnement mathématique.* Paris: E.S.F.

JAULIN-MANNONI, F. (1965). *Les quatre opérations, base des mathématiques.* Paris: E.S.F.

JAULIN-MANNONI, F. (1970). *Entraînement pré-mathématique progressif.* Paris: E.S.F.

JAULIN-MANNONI, F. (1973). *Pédagogie des structures logiques élémentaires.* Collection: Sciences de l'Education, Paris: E.S.F.

JAULIN-MANNONI, F. (1975). *Le pourquoi en mathématiques.* Collection: Sciences de l'Education, Paris: E.S.F.

JAULIN-MANNONI, F. (1975). *Du concret à l'abstrait. L'inclusion.* Rééducation orthophonique, 13, pp. 335-344.

JAULIN-MANNONI, F. (1981). *Logique, langage et dyscalculie.* Pratique des mots, 36, pp. 19-21.

JAULIN-MANNONI, F. (1999). *La Sirène et le Dragon: Raison et déraisons dans la construction de la pensée occidentale.*
- Traité de Logique.
- La raison: puissance, limites et dérapages.
- Manuel de référence.
- Contes suivi des Principes.
- Jeux de cartes et CD-Rom.
- Manuel didactique.

Paris: Editions APECT.

JONNAERT, PH. (1992). *L'analyse des erreurs des élèves dans les opérations arithmétiques à l'école primaire ou... le nombre ce méconnu.* Bulletin de Psychologie Scolaire et d'Orientation, 41 (3), pp. 150-172.

JONNAERT, PH. (1996). *Construire le nombre*. Bruxelles: Editions Plantyn.

KERVOT, J.C. (1987). *Les difficultés en mathématique. Diversité des troubles et diversité des traitements*. Rééducation orthophonique, 149, pp. 51-60.

KLEES, M. (1979). *L'enfant dyscalculique*. Revue des séminaires belges de réadaptation, Périodique de l'A.B.P.E.D., 34, pp. 30-50.

KLEES, M. (1999). *La philosophie de l'évaluation des incompétences en calcul chez l'enfant d'intelligence normale*. Questions de logopédie, 35, pp. 17-38.

KOPPEL, H. (1976). *Anorexie et dyscalculie*. Rééducation orthophonique, 87, pp. 59-66.

KOPPEL, H. (1983). *À propos de l'analyse par C.G. Jung de ses propres difficultés en mathématiques*. Rééducation orthophonique, 36, pp. 163-167.

KOPPEL, H. (1988). *Réflexions sur le bilan des difficultés en mathématiques*. Glossa, 12, pp. 22-26.

LECHEVALIER, B., EUSTACHE, F. ET VIADER, F. (1995). *Perception et agnosies*. Bruxelles: Editions De Boeck.

LEGENDRE-BERGERON, M.F. (1980). *Lexique de la psychologie du développement de J. Piaget*. Editions Gaëtan Morin.

LHOAS, B. (1990). *Le subitizing dans le dénombrement*. Mémoire inédit, U.C.L.

MAEDER, C. (1999). *Évaluation et tentatives de remédiation chez un enfant présentant des troubles du raisonnement logico-mathématique*. Questions de logopédie, 35, pp. 91-122.

MANUILA, L., MANUILA, A., LEWALLE, P., NICOULIN, M. (1999). *Dictionnaire médical*. Paris: Masson.

MAZÉDI, M. (1989). *Syndrome de Gertsman chez un enfant IMC*. Neuropsychiatrie de l'enfance, 37, pp. 34-38.

MELJAC, C. (1975). *Contribution expérimentale à l'étude de l'utilisation du nombre entre 4 et 7 ans*. Rééducation orthophonique, 86, pp. 535-554.

MELJAC, C. (1979). *Décrire, agir et compter: l'enfant et le dénombrement spontané*. Paris: Presses Universitaires de France.

MELJAC, C. (1984). *L'UDN 80 est-elle un dinosaure?* Questions de logopédie, 2, pp. 13-22.

MELJAC, C. (1987). *Fonctionnement opératoire et connaissances numériques d'un groupe d'enfants non-lecteurs.* Rééducation orthophonique, 149, pp. 17-27.

MELJAC, C. (1991). *De quelques variantes imprévues apportées au scénario de la construction du nombre.* In J. Bideaud, C. Meljac, et J.P. Fisher (Eds.). Les chemins du nombre (pp. 401-434). Lille: Presses Universitaires de Lille.

MONTANGÉRO J. ET MAURICE-NAVILLE D. (1994). *Piaget ou l'intelligence en marche: Aperçu chronologique et vocabulaire.* Mardaga.

NGUYEN XUAN, A., ET ROUSSEAU, J. (1979). *La notion d'inclusion. Compétence logique et processus de fonctionnement.* Année psychologique, 79, pp. 157-180.

OP DE BEECK, P. (1999). *Retard pédagogique ou trouble spécifique d'apprentissage en mathématiques: importance du diagnostic différentiel.* Questions de logopédie, 35, pp. 129-140.

PERRET, J.F. (1985). *Comprendre l'écriture des nombres.* Editions Peter Lang SA.

PIAGET, J. (1964). *Six études de psychologie.* Paris: Editions Denoël Gonthier.

PIAGET, J. (1964). *La genèse du nombre chez l'enfant.* Neuchâtel: Delachaux et Niestlé.

PIAGET, J., ET INHELDER, B. (1967). *La genèse des structures logiques élémentaires.* Neuchâtel: Delachaux et Niestlé.

PIAGET, J., ET INHELDER, B. (1968). *Développement des quantités physiques chez l'enfant.* Neuchâtel: Delachaux et Niestlé.

PIAGET, J. (1971). *Le jugement et le raisonnement chez l'enfant.* Neuchâtel: Delachaux et Niestlé.

PIAGET, J. (2001). *Cheminement dans l'oeuvre scientifique.* CD rom.

PIÉRART, B. ET HUVELLE-DELHAYE, I. (1984). *La rééducation du calcul passe par le langage: réflexion sur la compréhension du «plus», «moins», «autant».* Questions de logopédie, 3, pp. 21-26.

RADELET, S. (1995). *Qu'en est-il de la connaissance et de la maîtrise du nombre et du comptage chez des enfants de troisième maternelle.* Mémoire inédit, I.L.M.H. Bruxelles.

RIEUNAUD, J. (1989). *L'approche du nombre par le jeune enfant.* Paris: Presses Universitaires de France.

ROBERT, P. (1995). *Le nouveau petit Robert. Dictionnaire alphabétique et analogique de la langue française.* Dictionnaires Le Robert. Paris.

ROCH-LECOURS, A. ET LHERMITTE, F. (1979). *L'aphasie.* Editions Flammarion.

ROEGIERS, X. (1989). *Lexique mathématique de base.* Bruxelles: Editions De Boeck.

SADEK-KHALIL, D. (1976). *Langage et mathématique.* Rééducation orthophonique, 87, pp. 19-39.

SAUVEUR, M. ET PETIT, J.P. (1992). *La numération parlée conduit-elle à la connaissance du nombre?* Questions de logopédie, 25, pp. 93-103.

SERON, X. (1979). *Aphasie et neuropsychologie: approches thérapeutiques.* Liège: Mardaga.

SERON, X ., ET DELOCHE, G. (1994). *Les troubles du calcul et du traitement des nombres.* In X. Seron, et M. Jeannerod (Eds.), Neuropsychologie humaine (pp. 440-451) Liège: Mardaga.

STEFFE, L.P. (1991). *Stades d'apprentissages dans la construction de la suite des nombres.* In J. Bideaud, C. Meljac et J.P. Fisher (Eds.), Les chemins du nombre. Lille: Presses Universitaires de Lille.

TOURNEUR, Y. ET DESSAILLY, P. (1984). *Orientations et résultats de quelques recherches montoises sur la maîtrise des premiers nombres naturels.* Questions de logopédie, 2, pp. 65-90.

VAN HOUT, G. ET SERON, X. (1983). *L'aphasie de l'enfant.* Liège: Mardaga.

VAN HOUT, G. (1994). *Et que le nombre soit!...* Bruxelles: Editions De Boeck.

VAN NIEUWENHOVEN, C. (1996). *L'apprentissage du nombre à travers les jeux: vers un outil d'analyse.* Bulletin de psychologie scolaire et d'orientation, 1, pp. 47-67.

VAN NIEUWENHOVEN, C. (1999). *Le comptage. Vers la construction du nombre.* Bruxelles: Editions De Boeck.

VELIN, J., CANOUI, P. ET BENZIMRA, P. (1988). *A propos des échecs en calcul à l'école primaire.* Neuropsychologie de l'enfance, 36, pp. 163-166.

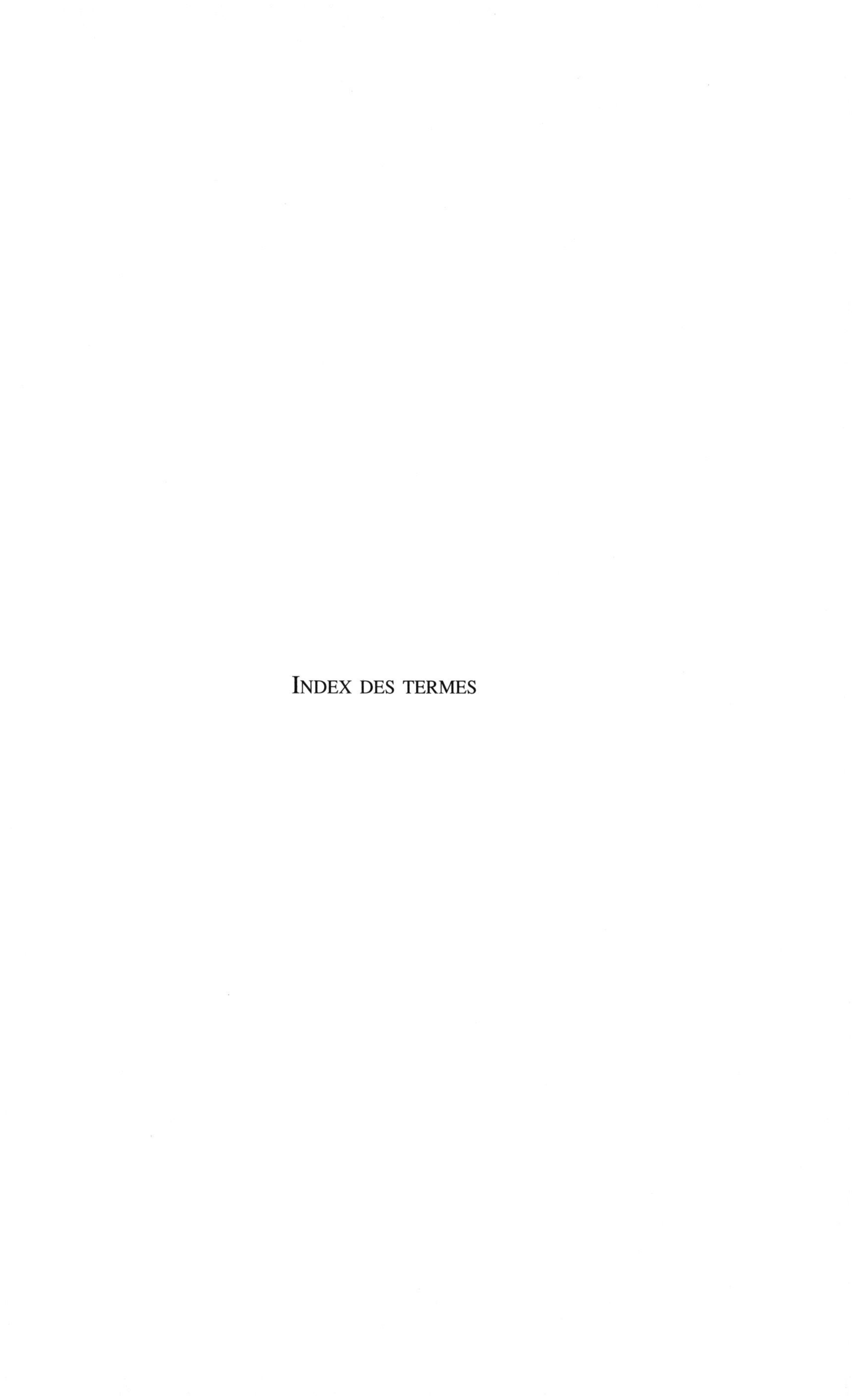

INDEX DES TERMES

T

V

SÉRIE PÉDAGOGIQUE DE L'INSTITUT DE LINGUISTIQUE DE LOUVAIN (SPILL)

SPILL 26: **C. CAMPOLINI, A. TIMMERMANS, A. VANSTEELANDT,** *Dictionnaire de logopédie. La construction du nombre.* Louvain-la-Neuve, Peeters, 2002. Prix: 15 Euro. ISBN 90-429-1093-3.
Cet ouvrage prolonge la réflexion terminologique poursuivie dans le secteur de la logopédie. Les auteurs abordent ici un domaine qui peut apparaître, de prime abord, assez éloigné de la vocation paramédicale première des logopèdes. L'élaboration de la notion de nombre est d'ailleurs un domaine qui intéresse tout autant les enseignants, les psychologues et les éducateurs en général, spécialisés ou non. Les logopèdes sont pourtant souvent sollicités pour la rééducation des troubles d'apprentissage en calcul dont les causes profondes doivent être recherchées dans les toutes premières étapes du développement cognitif.

PRINTED ON PERMANENT PAPER • IMPRIME SUR PAPIER PERMANENT • GEDRUKT OP DUURZAAM PAPIER - ISO 9706
N.V. PEETERS S.A., KLEIN DALENSTRAAT 42, B-3020 HERENT